*J'avais douze ans,*
*j'ai pris mon vélo*
*et je suis partie à l'école…*

Sabine Dardenne

# *J'avais douze ans,*
# *j'ai pris mon vélo*
# *et je suis partie à l'école…*

Avec la collaboration
de Marie-Thérèse Cuny

ISBN : 2-915056-29-3

*À toutes les victimes.*

J'avais douze ans, j'ai pris mon vélo et je suis partie à l'école… Je m'appelle Sabine, je vivais dans un petit village de Belgique et j'ai disparu sur le chemin de l'école. Les gendarmes ont d'abord pensé à une fugue, et mes parents l'ont espéré longtemps. Ma mère laissait une lumière allumée dans la maison, la nuit, et un volet ouvert au cas où je déciderais de rentrer au bercail. Ma grand-mère laissait une entrée déverrouillée dans le même espoir.

J'étais une petite fille un peu rebelle — en tout cas fort indépendante — et je ne me laissais pas marcher sur les pieds. Je me disputais souvent avec mes grandes sœurs et ma mère. Ce jour-là, je ramenais à l'école mon carnet de notes signé par ma mère, mais sur lequel figurait un échec en mathématiques. Il était logique de penser à une fugue, c'est le premier réflexe dans une enquête de ce genre. Ensuite, on guette une demande de rançon : le téléphone familial est mis sur écoute et les parents sursautent au moindre coup de fil. On a même soupçonné mon père ! Pendant ce temps, les journaux rendent compte en gros titres des résultats de l'enquête. « Sabine introuvable » ; « Battues à Rumillies » ; « Un hélicoptère pour retrouver Sabine » ; « Recherches vaines »... La gendarmerie met en place une cellule de crise avec un numéro d'appel à témoins, on imprime des affichettes que l'on placarde sur les murs, les vitrines des magasins, ou que l'on distribue dans la rue. On drague l'Escaut, les gendarmes effectuent la traditionnelle enquête de voisinage, on envoie un hélicoptère survoler la campagne alentour, même les enfants du collège participent aux recherches en battant les fourrés et les terrains vagues. Des centaines d'automobilistes collent les avis de disparition sur leurs véhicules. Cent cinquante hommes et cent seize militaires participent aux battues, qui demeurent vaines.

On m'a recherchée pendant quatre-vingts jours. Ma photographie d'écolière était placardée sur tous les murs de mon pays, et même à l'étranger.

« DISPARITION DE MINEUR D'ÂGE

« TAILLE 1,45 M, CORPULENCE MINCE, YEUX BLEUS, CHEVEUX BLONDS MI-LONGS. HABILLÉE AU MOMENT DE SA DISPARITION DE BASKETS NOIRES À SEMELLES DE CORDE, D'UN JEAN BLEU, D'UN SOUS-PULL BLANC, D'UN LONG PULL ROUGE ET D'UN K-WAY BLEU. SABINE EST EN POSSESSION DE SA CARTE D'IDENTITÉ ET DE SON SAC D'ÉCOLE DE MARQUE KIPLING. ELLE ÉTAIT EN POSSESSION D'UNE SOMME DE PLUS OU MOINS 100 F BELGES.

ELLE A QUITTÉ SON DOMICILE AVEC SON VÉLO DE TYPE VTT DE MARQUE DUNLOP, COULEUR VERT MÉTALLISÉ, UN SAC ROUGE ÉTAIT ATTACHÉ AU PORTE-BAGAGES.

« ELLE A ÉTÉ VUE POUR LA DERNIÈRE FOIS CHAUSSÉE D'AUDENARDE PRÈS DU PONT DE L'AUTOROUTE EN DIRECTION DE TOURNAI VERS 7 H 25 DU MATIN LE 28 MAI 1996.

« SI VOUS AVEZ VU SABINE, OU DISPOSEZ DE RENSEIGNEMENTS POUVANT LA LOCALISER, ADRESSEZ-VOUS À LA GENDARMERIE DE TOURNAI OU AU COMMISSARIAT DE POLICE. »

J'appartenais désormais à la triste série des fillettes et adolescentes disparues en Belgique.

Julie Lejeune et Melissa Russo. Disparues ensemble le 25 juin 1995, à l'âge de huit ans.

An Marchal et Eefje Lambrecks. Disparues ensemble le 23 août 1995, à l'âge de dix-sept et dix-neuf ans.

Sabine Dardenne. Disparue seule le 28 mai 1996 à l'âge de douze ans et demi.

Laetitia Delhez. Disparue seule le 9 août 1996 à l'âge de quatorze ans et demi.

Les six victimes de l'affaire qui devait secouer mon pays, tel un tremblement de terre populaire médiatique et politique. Les journalistes du monde entier l'appellent encore aujourd'hui : « l'affaire Dutroux » ou : « le monstre de Belgique ».

Je l'ai vécue de l'intérieur, et je me suis tue durant des années sur « mon affaire » personnelle, en la mauvaise compagnie du psychopathe le plus haï de Belgique.

Je suis l'une des rares survivantes qui aient eu la chance d'échapper à ce genre d'assassin. Ce récit m'était nécessaire, pour que l'on cesse de me regarder de façon « bizarre », et pour que plus personne ne me pose de questions à l'avenir. Mais si j'ai eu le courage de reconstituer ce calvaire, c'est avant tout pour qu'un juge ne relâche plus les pédophiles à la moitié de leur peine pour « bonne conduite » et sans autre forme de précaution. Certains sont déclarés responsables de leurs actes et intelligents. On les considère aptes au jugement, donc au suivi psychologique. Cette attitude est d'un angélisme effrayant.

Au bout du compte, c'est donc la prison pour quelque temps, ou à vie en cas de récidive. C'est la récidive qui me met en colère.

Car il existe des techniques modernes et sophistiquées permettant de contrôler le déplacement d'un « prédateur isolé » à partir du moment où il a été repéré. La justice peut s'en donner les moyens, et c'est aux gouvernements d'en décider.

S'il vous plaît, qu'ils ne l'oublient pas à l'avenir. Plus jamais ça.

J'aurai vingt et un ans le 28 octobre 2004. Cet avenir m'attend, je l'espère enfin paisible, même si : « L'on ne peut oublier l'inoubliable. »

*Sabine Dardenne*

*Août 2004*

# 1

# À VÉLO

J'avais douze ans. Ce vélo, je ne l'avais pas réclamé. Mon parrain me l'avait offert pour ma communion solennelle, c'était le plus beau des cadeaux que j'avais reçus. Il venait d'un magasin de Mons et c'était une série limitée — il portait un numéro —, un Viking Dunlop ; il n'y en avait pas des milliers comme lui. C'était un beau vélo vert. Mon père avait changé le phare qui fonctionnait mal, en utilisant celui de ma vieille bicyclette. Il était donc parfaitement reconnaissable. Je m'en servais pour aller au collège depuis quelques semaines seulement. J'avais mon sac d'école sur le dos, et un petit sac rouge de piscine attaché à l'arrière. Je pédalais tranquillement alors que le jour se levait à peine. Un mardi 28 mai 1996.

On ne pense pas tous les matins en allant à l'école se faire kidnapper au vol par un prédateur planqué à l'intérieur d'une camionnette.

Chaque fois que j'ai dû le raconter, aux enquêteurs,

puis à la cour d'assises ou à une amie de l'époque, je me revois sur ce trajet, arrachée de mon vélo le long de la grande haie, à cinquante mètres du jardin de ma copine. Je suis capable de refaire ce trajet à pied, en voiture ou à vélo. Mais ce moment précis et cet endroit sont restés figés, insupportables, dans ma tête.

C'est à ce moment-là qu'un monstre a tué mon enfance.

Ce matin-là, mon père m'a regardée partir et m'a suivie des yeux jusqu'à l'entrée du pont. Je lui ai encore fait signe, puis j'ai tourné en direction du collège et lui est parti de son côté... À cet endroit-là, la route a deux embranchements et je devais faire attention pour tourner à gauche en direction du stade et de la piscine, puis du collège.

Normalement, je mettais dix minutes ou un quart d'heure pour arriver au collège. Il doit y avoir en tout deux kilomètres, deux kilomètres et demi, pas plus. J'avais déjà fait deux tiers du chemin quand je suis arrivée dans la rue du stade.

C'est une rue déserte, pas un chien n'y passe à cette heure-là. Il était 7 heures et demie ; j'étais partie de la maison à 7 h 25, environ. Souvent, ma copine Davina m'attendait devant chez elle, son garage donnait dans cette rue. Elle me voyait arriver depuis son jardin et nous faisions le reste du chemin à deux, même à trois car elle accompagnait aussi son petit frère.

Si je ne la voyais pas en arrivant à hauteur de chez elle, je continuais seule et nous nous rejoignions au collège. Je me disais alors : « Sa mère a décidé aujourd'hui de la déposer en voiture, ou bien elle est déjà partie, ou elle n'est pas encore sortie de chez elle... » Mais comme je devais ranger mon vélo en arrivant et que cela me prenait quelques minutes, si je ne la voyais pas, je continuais sans l'attendre, c'était une convention tacite entre nous.

Ce jour-là, j'ai vu de loin qu'elle n'était pas là, j'ai donc décidé de poursuivre mon chemin dans la rue déserte, le long de la haie touffue et assez haute. Le bas-côté à cet endroit étant restreint, je roulais au milieu de la route et, si j'entendais un moteur de voiture, je me rabattais alors sur ma droite.

J'aimais bien arriver tôt à l'école, et ranger tranquillement mon vélo. La fin de l'année scolaire approchait — ma première année de collège. Je me débrouillais assez bien mais j'étais nulle en maths, et ma mère m'en faisait régulièrement le reproche :

« Tu as encore un échec ! »

La plupart du temps, je filais jouer dans ma cabane à côté du jardin, ou chez les copines, en haussant les épaules. J'étais taxée de « sale caractère », mais, dans la mesure où j'avais mon indépendance, ça ne me touchait pas. Au fond, mon sale caractère était mon meilleur copain et il l'est resté.

Je ne pensais pas forcément à tout cela ce matin du mardi 28 mai 1996. Je ne sais même plus si je pensais. Je roulais lentement ; la rue du stade était petite, tranquille mais sombre derrière le stade de foot.

J'ai entendu un moteur, je me suis remise à droite. J'étais à cinq mètres du garage de ma copine, très près de la haie. Derrière cette haie se trouve une maison. Si quelqu'un avait été à sa fenêtre ou dans son jardin, il aurait pu tout voir. Mais il n'y avait personne, il était trop tôt et il faisait encore un peu sombre. Si Davina avait été là à m'attendre ce jour-là, rien ne se serait passé, peut-être... S'il y avait eu comme souvent la bande d'élèves qui empruntent cette rue du stade comme raccourci pour gagner le collège, les témoins auraient été nombreux.

Mais je n'avais vraiment personne en vision directe. J'étais en avance.

C'était une fourgonnette toute pourrie, le genre de camionnette trafiquée en mobil-home, trois sièges à l'avant et une banquette-lit à l'arrière. D'horribles rideaux à carreaux jaunes et bruns et des centaines d'autocollants cachaient les vitres. Lorsque j'en voyais dans la rue en me promenant avec maman, je lui disais en riant :

« Regarde un peu la ruine qui bringuebale, le pot d'échappement qui menace de tomber et le moteur qui ronfle mal... »

J'ai eu le temps de la sentir arriver à ma hauteur, cette affreuse camionnette, puis de la voir vraiment. La porte latérale était ouverte. Un homme était penché vers l'extérieur et un autre conduisait. Je n'ai pas compris exactement ce qui se passait, car j'ai fermé instinctivement les yeux avant même d'avoir peur. Je me suis sentie « arrachée » de mon vélo en une seconde, réellement attrapée au vol, une main plaquée sur la bouche, l'autre sur les yeux. Mon pied s'est même coincé un instant dans la selle. Mais mon vélo est tombé tout seul. En un éclair j'étais déjà embarquée à l'intérieur de la camionnette, et l'homme m'arrachait mon sac à dos.

On ne voit ça que dans les films : les images s'enchaînent si vite que « hop ! », c'est fait.

Lorsque je l'ai raconté bien plus tard à Davina, elle m'a demandé :

« Mais tu n'as rien pu faire ? Tu n'as pas pu te débattre ? »

Je pédalais et « hop ! », embarquée dans la camionnette ! En fait, ils m'avaient repérée depuis une semaine, comme des chasseurs. J'ai bien sûr tenté de me débattre, mais je ne faisais pas le poids. Douze ans, l'air d'en avoir dix, un mètre quarante-cinq et trente-trois kilos... j'étais si menue, si minuscule, que les grands du collège me demandaient souvent :

« Eh ? T'es sûre que tu es en première année ? »

Immédiatement emballée dans une couverture, j'ai vu une main qui cherchait à m'enfourner de force des cachets dans la bouche, j'ai hurlé aussitôt et l'homme, penché sur moi, râlait :

« Mais tais-toi ! Il ne va rien t'arriver ! »

Je le bombardais déjà de phrases, ce sale type.

« Vous êtes qui ? Qu'est-ce que vous me voulez ? Qu'est-ce que je fais là ? Et mon vélo, où est-ce qu'il est ? Mais moi, je dois aller à l'école... Vous êtes qui ? Lâchez-moi ! Je vais à l'école ! Qu'est-ce que vous voulez ?... »

Je crois l'avoir « soûlé » de questions dès le début, je déteste ne pas avoir de réponse. Aujourd'hui encore, si je n'obtiens pas de réponse, je m'énerve immédiatement, et je m'acharne jusqu'à en obtenir. Je suppose que je hurlais par réflexe, alors que la peur commençait à me suffoquer. Cet instant dans ma vie est peut-être le plus violent de ceux que j'ai vécus, si soudain et si effrayant que j'en étais sidérée. Je venais de disparaître du monde extérieur en une seconde et si je ne le réalisais pas vraiment, trop choquée par la rapidité de l'action, la terreur me prenait à la gorge devant les yeux noirs de cet inconnu, et la main qui voulait me faire taire. Le bruit du moteur, l'accent bizarre de l'homme, le piège de la couverture puante sur moi, c'était horrible.

J'ai senti que le chauffeur descendait une dizaine de secondes environ alors que la voiture était arrêtée.

« Allez, vas-y ! Prends le vélo ! N'oublie pas le sac ! Roule ! »

Mon vélo a été jeté à l'arrière à côté de moi, mon sac de piscine aussi.

Le tout — enlèvement, hurlements, temps pour récupérer mes affaires — a certainement duré moins d'une minute.

J'étais déjà agressive avec cet homme bizarre ; il n'avait pas l'air net, des yeux à faire peur, des cheveux gras collés genre « graisse à frites », une moustache ridicule. Ma première impression ? Je me suis dit : « C'est qui ce grand moche, barbare ? Il est louche. »

J'essayais toujours de me débattre, je hurlais de peur et de rage et ça ne lui plaisait pas.

« Tu vas te taire ! »

Je ne pouvais rien faire en réalité. J'étais coincée par cette couverture sur un vieux matelas au milieu de la camionnette, j'apercevais le conducteur de dos au-dessus du siège et de l'appui-tête. Il restait silencieux. Par rapport à l'autre, je le trouvais un peu petit. J'ai pensé : « C'est un gringalet, le petit blaireau qui obéit au grand. » Jeune, les cheveux sombres. Le blouson noir, la casquette minable avec un insigne, un style plutôt mauvais genre. Tout allait ensemble : le sale conducteur, la camionnette pourrie, le barbare graisseux. Je me demandais bien ce qu'ils me voulaient. Je n'ai pas songé une seconde à un enlèvement de sadique. Si ce type m'avait attendue à la sortie du collège avec une poignée de bonbons, peut-être... À cet instant, la seule idée que j'avais en tête était que ces deux « crados » me voulaient du mal. Pour m'arracher si violemment de mon vélo, c'était clair. Mais quoi au juste, je ne savais pas. C'était incompréhensible.

La première fois, j'ai recraché les cachets qu'il m'avait fourrés dans la bouche, quatre ou cinq... Je les ai planqués sous le matelas pisseux, puis il m'a fait renifler quelque chose sur un mouchoir, un genre d'éther, en réalité de l'Haldol liquide, et comme je hurlais toujours, il m'a menacée :

« Si tu continues... »

J'ai compris au geste et au regard noir que j'allais recevoir des coups, alors je me suis dit : « Réfléchis... Si tu continues à hurler, il va te mettre un coup de poing, ça sera encore pire. Il faut que tu te calmes, il faut lui montrer que tu es sage. Si tu restes sage, il te dira peut-être ce qu'il te veut, pourquoi il t'empêche d'aller à l'école. » De toute façon, j'étais étourdie et je pense que j'ai dû sombrer quelques minutes, mais pas assez à son goût.

Il m'a obligée cette fois à avaler deux médicaments avec du Coca qu'il a précipité dans ma gorge, et comme les gélules ne passaient pas et que je hoquetais, j'ai réclamé encore du Coca.

« Non. C'est "l'autre" qui a tout bu ! »

Il l'appelait « l'autre » parce qu'il ne voulait pas dire son nom. Je n'arrivais pas à comprendre. Je pleurais de colère, en m'obstinant.

« Vous êtes qui ? Qu'est-ce que vous me voulez ? Je veux rentrer chez moi. Mes parents vont se demander où je suis allée... Vous allez leur dire quoi ? »

Mais ils ne répondaient pas, et je ne cessais de reposer les mêmes questions, inlassablement. Je pouvais toujours pleurer, m'étouffer de peur, rien. Et la camionnette roulait, sans que je puisse deviner dans quelle direction. En revanche, j'ai senti, au bruit des roues, qu'elle empruntait d'abord une route de campagne, puis l'autoroute. Du coup, j'ai fait celle qui dormait, je me suis retournée côté carrosserie, le « barbare graisseux » à ma droite, et j'ai fermé les yeux pour qu'il me croie dans les vapes. Tout en écoutant comme je pouvais ce qu'il racontait. Rien d'intéressant pour moi, juste des indications pour la route : « C'est là, tourne... » Il devait donner à « l'autre » des conseils pour sortir du quartier, ensuite il m'a semblé qu'ils savaient parfaitement où ils allaient.

C'était lui, le « graisseux », qui dirigeait complètement le conducteur. J'essayais d'apercevoir la route ou des panneaux ; j'en voyais défiler quelques-uns qui ne me disaient rien. J'avais la peur au ventre, pire que celle des examens, la vraie peur, celle qui donne l'impression que l'on va faire pipi dans sa culotte, tellement on tremble de tout son corps. Je ne sais pas s'ils s'en sont rendu compte — probablement qu'ils s'en fichaient, d'ailleurs — mais j'avais la sensation d'être en verre, figée, sur le point de me casser en deux. J'avais mal au ventre, un nœud dans la gorge, je respirais difficilement et par moments je haletais comme un chien. Cette couverture horrible sur moi, ce matelas qui puait la rage, le bruit de la camionnette déglinguée, et ces deux-là qui ne parlaient de rien d'intéressant, avec leur accent bizarre, surtout le crasseux qui venait de je ne sais pas où... À douze ans, on ne sait pas très bien situer les accents, s'il viennent de Namur, de Liège, ou de loin. À la rigueur, s'il avait roulé les *r* davantage, j'aurais dit qu'il était flamand.

Mais là rien ne me rappelait quoi que ce soit. C'étaient pour moi des étrangers, des barbares puants, et je ne cessais de me demander : « Qui sont ces types ? Ils m'emmènent où ? Pourquoi ? »

Je n'ai pas pu imaginer un plan quelconque pour m'échapper de cette camionnette. D'abord, elle roulait ; passer par une fenêtre était impossible, elles étaient fermées, occultées par ces affreux rideaux et une multitude d'autocollants, je ne pouvais apercevoir le jour que par le pare-brise, et en hauteur. La seule solution à la rigueur aurait été la porte de derrière. Mais il aurait fallu que je fasse un demi-tour complet sur moi-même, que je me redresse et qu'en même temps je me casse la figure sur la tôle verrouillée... Si j'avais bougé, il m'aurait aussitôt rattrapée au vol. De toute façon — et à condition de ne pas m'être cassé quelque chose — je n'aurais pas pu aller loin sur la route, même en courant. Donc, il n'y avait pas d'issue. À un moment, j'ai mis la couverture exprès sur ma tête, pour pouvoir ouvrir les yeux de temps en temps sans qu'ils s'en aperçoivent. Il fallait qu'ils me croient complètement comateuse. Mais j'avais chaud sous cette couverture qui me grattait le visage. Le matin, en ce mois de mai, il faisait encore assez frais, j'avais donc mis pour partir à l'école un sous-pull, un pull et mon K-way légèrement fourré à l'intérieur. Je transpirais surtout de peur et d'angoisse de ne pas comprendre.

J'étais figée, mais ça ne m'empêchait pas de penser.

J'aurais pu faire quoi ? J'aurais pu donner un coup de pédale en plus ? J'aurais pu me jeter par terre avant qu'ils me chopent ? Dans la rue, il y a un petit chemin : j'aurais dû jeter mon vélo, partir en courant et sonner à n'importe quelle baraque. Mais la haie est si longue... Mais si je n'avais pas pris mon vélo pour aller à l'école... C'est de ma faute ? Je suis punie ? Ils ont fait tellement vite, je n'ai pas eu le temps de poser les pieds par terre, ils m'ont attrapée au vol ! Je n'ai rien vu. Est-ce que la camionnette était déjà derrière moi ? Est-ce qu'ils me suivaient ?

Le moteur s'est arrêté. Le crasseux croyait que je dormais, il a dit :

« Il va falloir te réveiller ! Tu vas rentrer dans ce coffre, quand je te le dirai ! »

En voyant la taille du coffre en question, en fer bleu mais tout rouillé, à peine plus grand qu'une caisse à outils, j'ai retrouvé mon sale caractère.

« Je peux pas entrer là-dedans !

— Tu vas entrer là-dedans !

— Non, c'est trop petit ! »

Je manque facilement d'air, et j'étouffe assez vite. Un problème de bronches depuis l'enfance. J'étais déjà épuisée sous cette couverture, dans cette camionnette fermée et sale. La peur ne me lâchait pas, et à la vue de cette malle elle empirait. Peur d'y étouffer réellement, peur de ne pas voir où on m'emmenait.

Alors je continuais à râler.

« Non, c'est trop petit, je vais manquer d'air, c'est tout dégueulasse, je vais être toute sale. »

Comme j'étais réticente, il a appelé « l'autre » à son secours.

« On va la plier pour qu'elle entre dedans. »

Je n'étais pas épaisse, mais quand même. Ils ont eu du mal à refermer le coffre. J'étais pliée en quatre, et ils ont dû attendre la dernière minute pour m'y enfermer. Je ne savais pas où ils m'emmenaient, mais j'avais l'impression qu'on faisait des kilomètres tellement ça me paraissait long. D'abord, ils ont ouvert la porte de la camionnette et posé le coffre par terre, d'après ce que j'entendais. Ensuite, un bruit de porte qu'on ouvre, on m'a soulevée puis reposée sur le sol, et enfin, au bout de deux minutes qui m'ont paru interminables, on a ouvert le couvercle.

« Sors de là ! »

J'avais de nouveau peur. Je m'étais faite à l'idée de rester dans cette boîte, là au moins j'étais toute seule, à l'abri, même enfermée. Je ne bougeais pas.

Le barbare « crasseux » était seul devant moi. Je suppose que le chauffeur à la casquette l'avait aidé jusque-là, et qu'il avait filé ailleurs. Probablement se débarrasser quelque part de mon pauvre vélo, que l'on n'a jamais retrouvé. Quelqu'un a dû le voler. C'est idiot, mais j'y ai repensé plus tard : ce vélo portait leurs empreintes, ils n'avaient pas de gants lorsqu'ils l'ont transporté. Si quelqu'un l'avait trouvé...

Comme j'étais réellement pliée en quatre, le « crasseux» a dû me tirer de là. De toute façon je n'ai rien fait pour l'aider. Je continuais à faire semblant d'être dans les vapes. J'en ai même rajouté en disant mollement :

«Mais qu'est-ce qui se passe ?»

Je ne sais pas si j'ai joué à cela sciemment ou non. Avec le recul, je me le demande. C'était sans doute un instinct, l'idée encore vague de les rendre moins méfiants et de guetter un moment d'inattention. Je ne pense pas l'avoir réellement calculé. C'était probablement les vapeurs qu'il m'avait fait respirer, et les deux cachets que je n'avais pas pu recracher... Mais je me sentais suffisamment lucide pour voir les choses autour de moi. Mon cartable était là.

Je me retrouvais maintenant seule face à ce type sans nom, dans une pièce au rez-de-chaussée d'une maison sans nom. Je pense qu'à ce moment-là je n'ai pas fait réellement attention au décor, aux meubles. L'ensemble m'a paru moche. J'ai vu la porte d'entrée, fermée. À côté, sur le même mur, une fenêtre au volet baissé en pleine journée, et je me suis demandé pourquoi.

Ce que je peux décrire de la pièce où je me trouvais, je l'ai réellement observé plus tard. Peut-être le troisième jour...

Dans un coin, des jouets d'enfants, un berceau. La pièce est carrée. Tout le long d'un mur, des placards à étagères remplies de choses diverses. Un poêle dans un coin, au fond un four à micro-ondes. Une porte qui donne apparemment sur une deuxième pièce. Par terre des briques, des sacs de ciment, des outils. Visiblement, il était en train de bricoler une cheminée encore inachevée. Dans ce bric-à-brac sur le sol, un petit passage vide menait à une porte elle aussi en travaux, bloquée par des lattes de bois en croix et du plastique. Je n'ai jamais su où elle donnait. Sur un autre mur, encore des placards de cuisine blancs, mais vides. Il y avait une montée d'escalier vers un étage, et tout près un réfrigérateur, assez haut, sur lequel un téléphone était installé. Inaccessible. Je l'ai repéré assez vite. Il y avait une table et des chaises dans ce capharnaüm. Je ne sais plus si j'ai vu dès ce jour-là la descente d'escalier qui menait à une cave.

Ma première impression de l'endroit où je venais d'atterrir me disait que je n'étais pas dans une maison normale où vivaient des gens normaux.

J'avais soif. J'ai demandé à boire. Il m'a donné du lait et j'en ai avalé quelques gouttes. Ensuite je me suis retrouvée à l'étage dans une chambre aux volets fermés. Je ne sais pas si j'y suis allée moi-même ou s'il m'y a portée. J'ai le souvenir d'obéir à des ordres, de faire simplement ce qu'il dit.

Il m'a montré des lits superposés, et m'a ordonné de me déshabiller pour me mettre au lit, ce que j'ai fait. J'avais tellement posé de questions pendant le trajet, et réclamé mes parents, tellement pleuré, que je ne pouvais plus qu'obéir. Probablement tétanisée par la peur, et la tête embrouillée. J'ai dû trouver bizarre de me coucher nue dans cette drôle de chambre sombre, avec une couverture sur moi. Aussitôt, il a passé une chaîne autour de mon cou et m'a attachée à l'échelle du lit avec un cadenas. Il a posé un seau hygiénique à côté. La chaîne ne me donnait qu'une longueur d'un mètre environ, pour atteindre ce seau.

Je préférais rester là sans bouger, planquée sous cette couverture à regarder le plafond. Il y avait une petite fenêtre, assez haute, qui laissait passer une faible quantité de lumière. Je ne sais plus s'il m'a apporté à manger ou non, en tout cas je n'ai rien avalé. J'ai peut-être dormi, épuisée à force d'avoir pleuré. Mais je m'entends encore dire :

« Pourquoi je suis là ? La chaîne me fait mal. Je manque d'air. Je ne suis pas une bête. »

Les rideaux étaient toujours fermés. Rien n'était allumé dans cette chambre. J'avais pourtant regardé ma montre en arrivant, pour me repérer dans le temps, il était 10 h 30. J'étais donc à au moins deux heures de route de chez moi, mais où ? Loin en tout cas.

Sur un mur, il y avait un poster représentant un dinosaure. Je l'avais oublié aussi, ce dinosaure… et pourtant il m'a énervée longtemps, au point que je ne pouvais plus le regarder. J'étais attachée sur ce lit d'enfant, j'avais vu un berceau d'enfant et des jouets, j'étais donc dans une maison où il y avait eu des enfants. Je cogitais, seule dans le noir, à cet environnement étrange. Qu'est-ce que je faisais là ? Qu'allait-il m'arriver maintenant ?

Le deuxième jour, il est venu dans la chambre, s'est accroupi à côté du lit, et a entamé une histoire terrible.

« Ne t'inquiète pas, moi je te veux du bien. Je t'ai sauvé la vie. Il y a un méchant chef qui te veut du mal, il veut des sous de tes parents... »

Et pour appuyer ses propos, il a fait venir le troisième jour « l'autre », le gringalet à la casquette, qui approuvait ce qu'il disait par monosyllabes. Il disait simplement de temps en temps : « Oui, c'est vrai » ; « Oui, c'est ça »...

Et le crasseux à la moustache me répétait :

« Tu vois ? Je ne suis pas le seul, lui aussi il le dit... »

Il m'a raconté ensuite que ce chef me voulait du mal parce que mon père avait été gendarme, et qu'il lui aurait fait quelque chose à ce moment-là. Ce chef voulait donc se venger sur un de ses enfants, c'était tombé sur moi. Il réclamait de l'argent, une rançon. J'ai cru comprendre au départ qu'il s'agissait de un ou trois millions, mais comme je me revois faire « pff ! » ce devait être trois. Et puis, à douze ans, on n'a pas une bonne idée de l'argent. Un million à la rigueur, mes parents auraient pu se débrouiller en empruntant partout, mais trois... Même en vendant la maison, la voiture et tout ce qu'ils possédaient, j'étais sûre qu'ils ne pourraient pas.

Comment savait-il que mon père avait été gendarme avant de changer de métier ? Est-ce que je l'avais révélé moi-même, par exemple comme une défense enfantine : « Attention, mon père a été gendarme... » C'est très possible. En tout cas, son histoire était basée là-dessus. Le « mal » dont mon père était responsable n'était pas très clair dans ma tête. Avait-il puni cet homme en le mettant en prison ? Lui devait-il de l'argent ? J'étais prisonnière à cause de cela, et mon père devait payer une rançon. C'était clair depuis le premier jour. Et j'ai tenté de défendre mes parents.

« Mais ils n'auront jamais autant de sous, ils ne sont pas millionnaires... »

Il m'a fait comprendre qu'ils avaient « intérêt » à se débrouiller pour les avoir, sinon... j'étais morte.

Le temps était difficile à repérer, mais je suis sûre qu'il a commencé dès ce jour-là à me faire subir des attouchements. Le deuxième jour, j'avais la tête à peine plus claire, il m'a détachée et m'a conduite dans une autre chambre à côté, la sienne apparemment, avec un grand lit. Je l'ai baptisée plus tard la « chambre du calvaire ». J'y ai subi les premiers attouchements.

Je sais qu'il a pris aussi des photos Polaroid — avant ou après, c'est difficile à dire, mais je m'en suis rendu compte à la deuxième ou troisième photo. C'était bizarre, je ne comprenais pas pourquoi il avait besoin de me photographier nue dans sa chambre. Je me souviens de ma réaction.

« Ça va pas ? »

Je pleurais sans cesse, et ça l'énervait manifestement. J'aurais dû aimer ça...

Après quoi il m'a ramenée dans l'autre chambre, celle aux lits superposés, pour m'y rattacher, en me disant de dormir. C'était difficile pour moi de comprendre ce que je subissais de cet homme, puant et laid, vieux à mes yeux d'enfant. J'étais séquestrée pour une demande de rançon, mais... il prétendait m'avoir sauvé la vie, mais... il me maltraitait en même temps ! Jusque-là je n'avais souffert ni de coups ni de viol, mais son comportement était si odieux que j'ai essayé de toutes mes forces de ne pas y repenser. Ne pas réfléchir à l'immonde. Je me retrouvais enchaînée, les yeux donnant sur le deuxième lit au-dessus de ma tête, encore tétanisée de peur, avec une seule chose en tête : et après ? Qu'allait-il m'arriver après ? Cet après faisait si peur d'avance. Je pleurais, je dormais parfois, j'avais mal à la tête, j'étais en état de choc, désespérée, seule. Une horreur.

Le piège se refermait sur moi, la manipulation continuait sans que je la soupçonne. L'homme disait que mes parents avaient refusé de payer la rançon, même la gendarmerie aurait refusé — à cause de mon père ancien gendarme ? J'étais donc en danger de mort, car le « chef » avait décidé de me liquider.

Alors, le monstre gominé a revêtu le costume du sauveteur.

« Je t'ai prise sur ordre du chef, mais comme tes

parents ne veulent pas payer, tu ne peux pas rester là. Tu veux vivre ou mourir ? »

Je ne garantis pas la phrase exacte, en tout cas elle était tournée de façon à me donner le choix : vivre ou mourir. Bien entendu, j'ai choisi de vivre.

« Alors, je vais te cacher. Je dirai que tu es morte, mais tu restes en vie et je vais m'occuper de toi. Seulement je ne peux pas te laisser là, dans cette pièce, le chef ne doit pas te voir. Ici c'est un quartier général, il peut arriver à tout moment. Et même si tu cherchais à te sauver, on te rattraperait très vite pour te tuer. Toutes les maisons ici sont au quartier général. Je vais te montrer une cachette ! »

Un quartier général, c'était quelque chose de très spécial dans mon esprit de douze ans. Ces gens étaient des gangsters ? Des policiers ? Des militaires ? Des extraterrestres ? Je pensais à tout et n'importe quoi en même temps. Et la question de base me taraudait toujours : « Qui est ce type ? » Un « connard » louche qui m'arrache de mon vélo, me fait subir des trucs malsains pour une gosse de mon âge, et que je n'aime pas du tout. J'ai beau le repousser, il continue… Il réclame d'abord de l'argent, le lendemain il fait des photos de moi, nue. Il m'attache, me détache.

Mourir ? Je ne pouvais pas choisir de mourir ! Dans ma tête je devais supporter jour après jour, en espérant continuer à vivre.

Après ces trois jours, il m'a fait descendre dans sa « cache ».

## 2

# LE SCÉNARIO

Je n'arrivais même pas à me dire que j'étais bel et bien kidnappée. Le mot ne me venait pas à l'esprit. La mise en condition était trop bien faite, rapide, dès le premier jour, alors que j'étais encore flageolante de peur, l'esprit embrouillé par les médicaments. J'ai cru à tout.

Cet homme était « mon sauveur ». Il avait réussi à me faire croire à un scénario diabolique selon lequel il m'avait « sortie à temps » des griffes d'un autre monstre que lui. Un « chef » de je ne savais pas quoi, mais qui voulait me tuer. Pour ne pas mourir, je devais obéir à cet inconnu, faire tout ce qu'il voulait, accepter qu'il me « touche » à sa guise. Il s'y était employé aussitôt, maintenant je devais vivre cachée par lui et avec lui. Jusqu'à quand ?

Parfois, dans les films, des truands enlèvent l'enfant du policier et lui réclament une rançon. Et l'on n'y croit pas, on se dit que ça n'arrive qu'aux autres, que ce n'est qu'un film, pas la réalité. J'étais pourtant dans cette sorte de film. C'était bien moi, Sabine, collégienne de Kain, qui me retrouvais enchaînée sur un lit, quelque part au sein d'un quartier général dont le chef pouvait me tuer à la moindre révolte ou tentative de fuite.

Il disait :

« Tu as eu de la chance de tomber sur moi, parce que le chef ne donne pas cher de ta peau... »

La « chance » d'être tombée sur « lui » ! Mais qui était « lui » ? Il ne donnait pas de nom, et « l'autre » avait disparu. Je n'ai jamais revu le « gringalet » à la casquette après qu'il a joué son rôle.

Une fois, j'ai demandé :

« Comment vous vous appelez ? »

Il a répondu que j'avais le choix entre Alain et Marc... j'ai instinctivement conservé une appellation plus anonyme, j'utilisais le « vous »... « Rendez-moi mes vêtements », par exemple. J'en avais assez d'être nue, je ne voulais pas descendre ainsi manger avec lui dans la pièce du bas. J'ai horreur d'être nue. J'avais froid, je ne voyais pas l'intérêt de me laisser toute seule dans cet état, j'ai donc réclamé sur un ton résolu mes sous-vêtements et le reste. Il m'a rendu les premiers, puis mon jean, je ne sais plus dans quel ordre, ni quel jour, mais j'ai dû me promener des semaines avec la même culotte, et seulement elle.

Je savais que j'avais été enlevée un mardi 28 mai. Les trois premiers jours, avant de descendre dans la cache et que je commence à récupérer de ce qu'il m'avait fait avaler, je n'étais pas très claire, sans véritables repères. Il me bourrait tellement le crâne avec ses histoires de chef. Il se passait tellement de choses bizarres en une journée. Je suis descendue pour manger, il m'a fait remonter dans sa chambre pour faire les photos puis le « reste », ce que j'appelais son « cirque » parce que je ne savais comment déterminer ces attouchements dégoûtants. Je me posais tant de questions, tout allait si vite que, lorsque j'ai regardé ma montre, j'avais le sentiment d'être enfermée dans cette « baraque pourrie » depuis des lustres, et de n'avoir rien compris.

Au bout du troisième jour, il me descend dans la cache. Un escalier vers une cave, et je vois une étagère sortir d'un mur comme par magie. Je suis complètement hallucinée. Sur les étagères métalliques il y a des packs d'eau, de bière, des bouteilles en tout genre. Il retire d'abord le tout, puis empoigne l'étagère du bas, tire vers lui et soulève cette partie du mur. Ensuite, il cale cette porte invisible de deux cents kilos avec un bloc de béton, en ne laissant qu'un angle minuscule pour passer derrière. Lorsque cette étagère est en place, on ne distingue presque rien ! Il me montre ça avec une certaine fierté. La première partie de la cache, derrière la fausse porte, est envahie par un amoncellement de cartons, papiers, ferrailles diverses qu'il m'interdit de toucher. Mais que bien sûr j'ai fouillé plus tard. On doit se glisser sur la gauche, si l'on peut dire, vu la taille de l'endroit, pour découvrir une autre porte grillagée qui était toujours ouverte. Puis il y a un semblant de sommier en lattes de bois et un matelas en décomposition totale par-dessus. Une sorte de caveau de quatre-vingt-dix-neuf centimètres de large sur deux mètres trente-quatre de long. Je ne l'ai pas mesuré moi-même, je l'ai su plus tard, mais il m'a suffi d'un coup d'œil pour me dire que j'allais étouffer dans cet endroit humide et sale.

Il y avait une petite étagère en bois sur le mur, avec deux ampoules, et une sorte de planchette où je ne pouvais pas poser grand-chose, à part mes crayons et ma paire de lunettes. Sur le mur du fond, à la tête de lit — si l'on peut appeler cette chose un lit —, une autre étagère en hauteur avec une vieille télévision, qui doit servir d'écran vidéo, et une console de jeu Sega. Sur le mur à droite, un petit banc et une petite table qui se rabattent. Si je suis assise sur le petit banc, mes pieds sont sur le matelas. Au bout de ce matelas, en perspective, la porte grillagée et la porte de la cache. Au bout de mes pieds, j'ai tout juste l'espace de mettre mon cartable et mon seau hygiénique.

La télé fonctionne avec un bouton. Il n'y a pas de télécommande. Un engin de récupération que l'on ne voit plus nulle part, avec du bois sur les côtés. Bien entendu, elle ne permet l'accès à aucun programme, elle ne sert qu'à jouer.

Il m'a donné le sentiment que cet endroit immonde venait d'être installé à mon intention. Pourtant, il y avait ce sommier à lattes de bois, cet écran... J'aurais pu comprendre qu'il avait déjà été occupé, mais il a précisé qu'il l'avait bricolé en vitesse pour moi. C'était tellement infect que je l'ai cru. La partie de la cache qui m'était réservée avait été mal repeinte en jaune, un jaune criard, affreux, avec des coulures indiquant que celui qui avait peint l'avait fait sans aucun soin. Les murs étaient en béton, c'était une ancienne citerne à eau.

Je vais être enfermée dans ce caveau horrible. Je me souviens d'avoir dit en faisant une mine du genre « ne vous fichez pas de moi... » — « Moi, je vais manquer d'air, ici ! »

Alors, il m'a montré son « super » ventilateur. Un petit ventilateur d'ordinateur fixé au plafond.

« Avec ça, pas de problème, tu auras toujours de l'air. »

La fausse porte de deux cents kilos s'est refermée sur moi. Et je n'avais toujours pas de réponses à toutes les questions que je me posais. Pourquoi moi, pourquoi ici, pourquoi mes parents me laissent tomber, pourquoi il me fait son « cirque »... J'ai tellement pleuré que je ne pouvais plus respirer. Il me fallait des repères : comment me laver, comment vider le seau hygiénique, comment occuper mon temps, comment rester en phase avec la réalité. J'avais ma montre, mon cahier d'école, mes devoirs de français, mes livres de classe, mes stylos-billes et mes crayons, des feuilles de classeur, et un jeu vidéo stupide. C'était un petit bonhomme qui devait sauter sur des pierres pour obtenir des pièces. Il tombait sur un champignon et il grandissait, il tombait sur une boule de feu et il tirait des boules de feu. J'avais un problème avec ce jeu lorsque j'y jouais chez une copine. Je ne dépassais jamais le premier niveau ; le niveau deux se passait dans l'eau et je le ratais toujours. Alors, je ne pouvais que refaire cent fois de suite le premier... c'était nul, et ça m'énervait considérablement.

Avant de me laisser dans ce trou sordide, il a dit qu'il allait me chercher quelques provisions, au cas où il devrait s'absenter. Des cartons de lait, des jerricanes d'eau du robinet, du pain et des boîtes de conserve.

Je n'imaginais pas que j'allais passer le reste de ma vie dans ce trou à rat, j'avais encore l'espoir que mes parents fassent quelque chose, trouvent l'argent, puisque c'était la condition. Même si je ne savais pas comment ils pourraient obtenir cette montagne de sous. Je n'imaginais pas non plus qu'ils me cherchaient comme des fous dans toute la Belgique, puisqu'il avait prétendu qu'ils étaient au courant, et qu'ils ne pouvaient ou ne voulaient pas payer. Ce monstre avait réussi à me mettre en tête progressivement que j'étais abandonnée là en quelque sorte, sous sa surveillance bienveillante, et que, mes parents étant informés de la situation, c'était à eux de décider ! Lentement mais sûrement, il est passé de « ils ne pourront pas payer » à la formule « ils ne peuvent pas », puis « ils refusent »... Et pour finir la formule désespérante : « Tes parents se sont fait une raison. En tout cas ils n'ont pas payé, donc... ils pensent peut-être que tu es morte. »

Désormais, mon existence dans cette cache allait être rythmée de la façon suivante. Tout d'abord, je ne devais pas crier ni faire de bruit. Le chef ou je ne sais qui pouvait toujours avoir accès à la maison n'importe quand. La consigne était le silence. J'avais la console Sega, mon cartable avec mes affaires de classe, je devais m'occuper avec ça. Chaque fois qu'il viendrait me chercher pour m'emmener à l'étage, soit pour manger, soit pour « autre chose » — et malheureusement, c'était le cas —, il s'annoncerait derrière la porte bétonnée, en disant : « C'est moi. » Si je n'entendais pas sa voix, je ne devais pas bouger d'un millimètre, ni proférer le moindre mot. Ma sécurité en dépendait. Probablement ma vie. Car dès que je manifestais de la mauvaise volonté, et je m'y employais régulièrement en le repoussant, la menace tombait : « Le chef te fera pire ! »

Le pire allant jusqu'à la torture, le chef, lui, sachant se servir d'autre chose que de son corps pour forcer le mien. Le chef pouvant me tuer... Si bien que l'ombre de la mort est entrée avec moi dans ce caveau sinistre et ne m'a plus quittée. J'avais peur tout le temps, même seule dans la cache. La mort courait après moi. Je cogitais, je n'avais que cela à faire. Je me disais :

« Cette fois, il est parti chercher des copains et, quand il reviendra, ils vont me tuer. » Si je disais non à quelque chose, j'avais peur qu'il finisse par me frapper, ou qu'il me tue lui-même. Au bout d'un certain temps, j'ai vu qu'il ne me tapait pas, qu'il me menaçait seulement, les yeux noirs, mauvais : même sans rien dire, je comprenais que sur un signe de lui le chef ou sa bande se chargerait de moi. Ma résistance n'allait pas plus loin. Je me résignais momentanément, avec l'idée qu'il voulait me garder ici à son idée, mais que, si un jour il en avait assez de moi et de mon mauvais caractère, il passerait aussitôt à la meilleure solution pour lui : se débarrasser de moi. Cette menace me poursuivait tout le temps. Chaque fois que je me plaignais de mes parents qui ne « faisaient rien » pour me sortir de là, il répondait que je devais m'estimer heureuse d'être en vie. Ou alors que le chef allait se servir d'ustensiles sadiques, et il ne m'épargnait pas les détails d'utilisation. Cela pouvait être n'importe quoi, du bâton à la bouteille, en passant par tous les moyens les plus sordides.

« Tu ne te rends pas compte ! Le chef, il n'en a rien à foutre de toi ! S'il sait que tu es en vie, il te fera des trucs que tu n'as jamais eus ici ! »

Mais j'avais parfois un air autoritaire, même si je savais que je n'aurais de toute façon pas le dernier mot. Parfois, quand il m'ordonnait de faire un truc, je disais : « Non, pas ça... » Tout en sachant bien que dans la minute qui suivait je serais obligée de le faire.

J'essayais d'imposer d'abord ma résistance, et, quand je voyais que ça commençait à ne plus rigoler, je me disais qu'il valait mieux faire ce qu'il voulait, de peur des coups, ou du chef. De peur de tout en général.

J'ai commencé à tenir un calendrier, d'abord sur mon cahier d'école, ensuite sur une feuille volante, à partir du 13 juin puisque l'année scolaire s'arrêtait là. J'étais donc certaine que ce 13 juin était un jeudi. J'étais dans les mains de ce monstre depuis le mardi 28 mai. J'avais compté trois jours en haut à l'étage ; le vendredi 31 mai, j'étais dans cette cache.

Entre le 31 mai et le 13 juin, date où j'ai noté sur mon calendrier « lettre », mes souvenirs sont aujourd'hui, huit ans après, assez flous. Il vient me chercher pour manger, il me traîne dans sa chambre, il me redescend à la cave, et ça recommence. Tous les jours. Et c'est une pitié pour moi de le subir. Cette chambre maudite, ce calvaire, sa télévision sur laquelle il regarde des films pornographiques cryptés sur Canal +. Son langage : « Regarde ! C'est super ! »

Je ne regardais rien du tout, je répondais seulement « oui, super » en me foutant de sa gueule. Intérieurement je le traitais de connard. J'attendais qu'il ait fini de « faire ses airs », formule personnelle pour traduire l'indicible. Parfois, j'étais soulagée de redescendre à la cave, parfois soulagée de remonter à l'étage, même si je m'attendais à ses « airs ». Au moins, je n'étais plus dans ce caveau immonde, où j'avais à peine la place de bouger entre mon seau et mon cartable. Il me semblait que je respirais un peu mieux. J'observais aussi un maximum de choses. Il y avait d'immenses penderies bourrées de vêtements de femme et d'enfants. Mais quand je lui ai demandé s'il était marié, il a répondu que non. S'il avait des enfants, non.

J'ai réclamé des vêtements, il m'a généreusement refilé un petit short court et un tee-shirt minuscule. J'ai demandé à me laver, et une nouvelle misère est tombée sur moi. Une fois par semaine seulement, et c'est lui qui me lavait au savon. Pour avoir un semblant de fraîcheur, je devais subir sa méthode particulière de propreté intime.

Je me repérais par rapport au jour et à la nuit lorsque j'étais en haut, grâce aux lueurs qui filtraient au travers des rideaux ou de la petite fenêtre de toit. Ce qu'il me donnait à manger était immonde. Du lait alors qu'il buvait du Coca, des espèces de plats préparés qu'il chauffait au micro-ondes, alors qu'il s'empiffrait d'un steak et même de chocolat sous mon nez. J'avais un couteau et une fourchette pour manger, mais je n'avalais presque rien. Combien de fois j'ai imaginé lui planter la fourchette quelque part... Combien de fois j'ai observé cette porte fermée sur l'extérieur — parfois il y avait même la clé dans la serrure. Mais il était toujours entre elle et moi : si j'essayais de bondir dehors, il me rattraperait aussitôt. Sans compter la menace à l'extérieur. J'étais dans le quartier général du chef, toutes les maisons autour appartenaient au chef.

Il s'est peut-être aperçu de quelque chose, en tout cas il a décidé que les repas se prendraient dans la deuxième pièce. Il est arrivé que quelqu'un frappe, rarement, deux ou trois fois je pense, mais je n'ai jamais vu à qui il ouvrait, ni ce qu'il faisait. Il entrouvrait la porte, et sortait, ça ne durait pas longtemps.

« C'est quelqu'un de la bande, ne t'inquiète pas... »

Je ne devais pas poser de questions, et surtout ne pas faire de bruit à cause du fameux chef. Et depuis que je mangeais dans la deuxième pièce, il refermait la porte de communication « pour ne pas qu'on me voie ».

Un jour, j'ai aperçu son stock de médicaments. D'un sac en plastique il a sorti des boîtes qu'il a empilées par genre. Il a dit que c'était sa petite pharmacie personnelle. Il se présentait comme médecin, intelligent, sachant tout faire. Il m'avait fait admirer sa cheminée, qu'il trouvait belle. Donc il était architecte ! Et des dessins aussi, de sa main, mais dont je me souviens mal pour y avoir jeté un œil indifférent. Un genre de plan de bâtiments. Je ne savais pas comment le situer, ni qui il était réellement. Il prétendait avoir trente ans, alors qu'il était plus âgé, avoir sept maisons gardées par des chiens, mais pas de jardin, n'avoir pas de femme parce que le chef ne voulait pas, et être dans la bande depuis fort longtemps. Il me soûlait avec son histoire de chef, de bande mystérieuse et dangereuse. La peur me gardait dans ce scénario menaçant. Mais je le soûlais aussi de questions. «Quand je sortirai d'ici? Quand je pourrai revoir mes parents?» Et de réclamations : «Je veux un coussin pour dormir, je veux un réveil, je veux autre chose à manger, j'en ai marre du lait, je veux laver mes affaires, je veux du papier pour dessiner! Je veux une brosse à dents...» — il a eu l'air tellement surpris à propos de la brosse à dents qu'il ne devait pas se laver les dents si souvent...

À tel point que je l'énervais : «Tu vas te taire!» Il tapait du poing sur la table, et rien qu'à son regard je comprenais qu'il était malgré tout capable du pire. Il était bizarre, parfois il parlait gentiment, à d'autres moments il s'énervait sans raison. Par exemple, si je refusais de manger du pain moisi, ou de boire du lait tourné, il piquait une colère parce qu'il l'avait acheté, et que je le laissais tourner...

Je détestais son accent, son air de savoir tout sur tout, et j'étais toujours confuse à son sujet : ce sauveur qui me faisait du mal... c'était contradictoire. Inconsciemment, je sentais que ça ne «collait» pas, mais je n'arrivais pas à remettre en place les morceaux de ce puzzle trop compliqué pour mes douze ans.

Par exemple, ne pouvait-il pas me laisser téléphoner à mes parents? Pourquoi me raconter qu'il s'était servi d'un émissaire pour communiquer avec eux? Mais ce téléphone en haut du réfrigérateur était un appareil privé relié au chef! Un chef qui était plus riche qu'un ministre et avait des enfants. Je devais comprendre qu'ici tout lui appartenait.

Si je tentais de téléphoner, je tomberais sur lui ou un autre qui saurait alors que j'étais vivante. J'avais bien pensé faire le 112, appeler au secours, mais, puisque la ligne était réservée au chef, le 112 ne devait certainement pas fonctionner... De plus, j'étais trop petite pour l'atteindre. Mais il me taraudait la cervelle, ce téléphone, autant que la clé sur la porte. Et la fourchette.

Et ma seule défense était de l'étourdir de réclamations, car lorsque je veux quelque chose, je ne lâche pas le morceau. Et je demandais sur un ton qui ne supposait pas de réplique négative.

Je faisais la maligne, en le traitant intérieurement de connard.

L'ennui et la solitude commençaient à me ronger. J'avais obtenu le radio-réveil, je pouvais écouter de la musique, mais il n'y avait pas de chaîne d'informations. Je l'avais bricolé en tous sens dans l'espoir d'avoir une oreille sur l'extérieur, sans résultat. Mon matelas de mousse se décomposait, il y avait des petites bêtes partout.

Parfois, j'aurais voulu passer à travers le mur. Je balançais la manette de jeu, puis je regardais l'heure comme une maniaque. J'en ai même fait une liste. Chaque chiffre des minutes me rappelait quelque chose : 13 h 23, 23, c'est le numéro de ma maison, 29, celui de Bonne Maman, 17, c'est l'anniversaire de maman, 22, celui de mon père, 1 heure... Je ne sais pas pourquoi je regarde... Les minutes m'obsédaient, je leur associais tout ce qui me venait à l'esprit, jusqu'aux pointures de chaussures. Je me raccrochais à ce que je pouvais.

Ne pouvant parler qu'à moi-même, je m'encourageais à voix haute : « Bon, je vais boire un verre d'eau... » ; « Je vais faire mon cours de néerlandais... » ; « Je vais prendre mon cahier et faire "ça" »... « Ça », c'était un cours de maths, de français, de latin ou de sciences. Je regardais mon bulletin scolaire que j'aurais dû rendre, il était signé. J'avais des notes catastrophiques en maths, comme d'habitude. Si je « bossais » sérieusement, je pouvais passer de classe, pour le reste j'étais dans la moyenne. Mais de toute façon tout le monde passait d'office dans la classe supérieure à la fin de l'année. C'était une nouvelle loi. Pas besoin de trimer davantage sur les maths... J'ai essayé de comprendre les exercices toute seule, je n'y arrivais pas. Mais ça m'occupait.

D'ailleurs, je ne travaillais pas vraiment. J'avais un bouquin de néerlandais — vocabulaire et conjugaison —, alors je recopiais les traductions, les accords de verbe, sans chercher à comprendre. Je copiais comme une machine. J'ai aussi recopié des citations de français. Copier, copier, je remplissais des feuillets entiers de mon classeur. Et je « lui » réclamais du papier pour mes dessins, pas question d'user ce qui me restait de mes belles feuilles...

Tout me manquait bien sûr. Chez moi, la nourriture était bonne, j'avais mon lit, le coussin que Bonne Maman m'avait fait pour dormir et que je ne quittais jamais. Des draps propres, des vêtements, toutes mes petites affaires. Il y avait Sam mon chien, Tifi mon canari, ma cabane dans le jardin, mes copines qui devaient se demander ce que j'étais devenue. Comment mes parents avaient-ils expliqué ma disparition à l'école ?

Je ne sais plus si c'est moi qui ai demandé à écrire à mes parents, ou s'il l'a suggéré de guerre lasse, mais, le jeudi 13 juin, j'ai entamé la rédaction de ma première lettre. Je voulais que mes parents sachent dans quelle situation je me trouvais.

Malheureusement, cette lettre a disparu, alors qu'il avait conservé, sans que je le sache évidemment, les trois dernières qui ont été retrouvées.

Le vendredi 21 juin, il m'a annoncé : « Je pars en mission. » Les « missions » ne me regardaient pas évidemment. Il avait raconté que le « chef » l'envoyait même dans les pays de l'Est.

J'avais donc le bénéfice de ne pas être obligée de « monter à l'étage », mais aussi le stress de la solitude, enfermée dans ce caveau. Je ne supportais pas de rester dans le noir, je laissais donc la grosse lampe allumée jour et nuit, en m'efforçant de ne pas perdre mes repères. Mais je dormais parfois le jour, parfois pas du tout la nuit, et je surveillais le radio-réveil comme une malade. Je n'avalais pas grand-chose des provisions supplémentaires qu'il m'avait généreusement descendues. Des boîtes de conserve qu'il fallait manger froides, et « boire le jus », c'était sa recommandation. Du pain qui moisissait. Je me vengeais sur les « Nic-Nac », ces petits biscuits en forme de lettres. Je ne mangeais quasiment que cela.

C'est peut-être à ce moment-là que j'ai démonté le radio-réveil dans l'espoir d'entendre un journal, des nouvelles du monde extérieur, n'importe lesquelles pourvu qu'elles me rattachent à ma vie d'avant. Je n'espérais absolument pas qu'on y parle de moi. Je n'avais pas disparu, on ne me recherchait pas, je n'appartenais pas à la liste des enfants recherchés en Belgique. Et pourtant... J'avais vu une fois, chez une copine, une affiche avec les deux visages de Julie et Melissa, deux gamines de huit ans disparues le 24 juin 1995, et dont personne n'avait de nouvelles depuis maintenant un an ! Je l'avais vue, c'est tout. Je n'ai fait aucun lien avec mon cas. Et pourtant... L'horrible peinture jaune dissimulait probablement des traces de leur présence ici avant moi. J'ignorais tout du remue-ménage à l'extérieur, de l'affolement de mes parents, des recherches, des affiches qui désormais me signalaient « disparue » comme les autres fillettes et donnaient mon signalement, ma taille, mes yeux bleus, mes cheveux blonds, ma corpulence, et même la photo d'un vélo identique au mien, avec le petit sac de piscine rouge accroché à l'arrière. On me recherchait depuis le début. J'ignorais les battues, les chiens, les sondages le long des berges du fleuve, tout ce que mes parents déployaient avec acharnement et obstination pour me retrouver.

Le 26 juin, il était de retour. Il y avait déjà trente jours que j'étais là. Ce retour supposait que le rituel de la chambre calvaire allait reprendre du service. Là-haut sur ce lit, il m'attachait avec une chaîne, qui reliait sa cheville à la mienne. Parfois, je devais rester « dormir » à côté de lui toute la nuit dans cette maudite chambre. Je n'osais même pas m'endormir. J'avais toujours peur qu'il se réveille et recommence ses « trucs » pendant mon sommeil, et que je ne puisse même plus dire « non, je ne veux pas ». Je ressentais le moindre mouvement, la chaîne me sciait la cheville chaque fois qu'il tirait dessus en se retournant. Il se trompait parfois de cheville, cet imbécile, attachant pied droit et pied droit. Je ne pouvais plus faire de mouvement pour m'écarter de lui au maximum. La nuit était longue. Je regardais le plafond, la télé, s'il l'avait laissée allumée sur un programme regardable, en guise de récompense. Même si j'arrivais à fermer les yeux de temps en temps et à trouver une position à moitié confortable, j'avais toujours l'obsession de ne pas m'endormir profondément. « S'il fait quelque chose, tu pourras au moins essayer de te débattre.» C'était le seul honneur qu'il me restait, montrer le refus, dire non, le rejeter, jusqu'à ce qu'il menace, et que je ne puisse plus lutter.

Pour me tenir éveillée, j'imaginais que ma mère rentrait du travail, que mes sœurs regardaient la télévision, peut-être la même chose que moi, je pensais à Sam, à Tifi, à mon petit jardin, aux graines que j'avais plantées, à la tarte aux pommes de ma marraine, au coussin de Bonne Maman, et je cherchais aussi comment ne pas mourir d'ennui dans la cache, comment faire tourner en bourrique le connard qui dormait là. Si seulement j'avais une arme, un couteau pour le tuer, si je pouvais lui balancer quelque chose dans la gueule, une des briques qui traînaient au rez-de-chaussée. Mais ça ne lui aurait pas fait grand-chose, une brique ! J'étais trop petite pour l'atteindre de toute façon.

Alors je faisais ce que je pouvais. Je tirais parfois moi-même sur la chaîne pour l'emmerder, je râlais pour qu'il rajoute un maillon de plus, je me plaignais de tout, réclamais mes parents inlassablement, je voulais téléphoner, écrire, je voulais même le journal télévisé ! Je m'efforçais de lui rendre la vie insupportable en le soûlant de paroles, de récriminations et de pleurs, et il me semble que j'y parvenais dans la mesure de ces pauvres moyens-là.

Bien entendu, le journal télévisé, pas question. Le téléphone non plus. J'ai eu droit certains jours à un maillon de plus autour de ma cheville. Ce n'était pas suffisant pour me soulager, encore moins pour me sauver de là. Je faisais la maligne, en le traitant intérieurement de « connard ». Une insulte de cour de récréation ! Quand il insistait pour me faire quelque chose que je ne voulais pas, je me suis même enhardie à l'insulter tout haut, ça me soulageait.

« Vous êtes vraiment con, c'est pas normal, moi je n'aime pas ! Vous faites chier ! »

J'avais besoin de ces mots grossiers pour me défouler. Mais il ne tenait pas compte de mes insultes. Il s'en fichait complètement, ou alors se mettait en rogne, et faisait ce qu'il voulait au bout du compte. Alors je me retenais de l'insulter trop souvent, je me disais : « Ne va pas trop loin, tu pourrais prendre un mauvais coup. »

Mais au moment des repas en face de lui, l'envie de lui planter une fourchette quelque part me revenait, ou de lui balancer sa poêle en pleine figure, parce qu'il se faisait griller un steak et que j'avais une espèce de bouillie de boulettes de viande infecte à avaler. Ou quand il me disait de lui apporter sa tasse de café qui chauffait dans le micro-ondes. Je n'en avais pas, moi, de café ! Il n'avait qu'à bouger ses fesses pour aller la prendre.

« Je suis pas la bonniche ! Le micro-ondes est à trois mètres ! »

J'avais la peur au ventre, j'étais malade de solitude, de honte et de crasse, j'étouffais, je pleurais à en avoir mal à la tête et les yeux rouges pendant des heures.

Mais je voulais lui tenir tête, lui montrer mon dégoût ! J'ignorais tout de ce qu'il appelait le « sexe », j'ignorais aussi qu'il existait des obsédés comme ça, personne ne m'avait informée de ce genre de choses. Je n'étais même pas réglée. Je n'avais même pas un petit copain, ni le souvenir d'un bisou volé.

Mais je voyais bien que rien n'était « normal » dans son comportement. Il était vieux, j'avais douze ans, et il passait son temps à m'emmerder avec ses manières bizarres, c'était qui ce type ? Seulement un « connard » ?

J'étais naïve car je n'avais pas encore souffert le pire.

## 3

# TENIR

Le « monsieur qui me garde » lisait *Science et Vie*. Mon père l'achetait parfois, et j'avais bien aimé le numéro qui racontait les planètes, j'adore l'espace. J'ai demandé à le lire, il a répondu : « Viens, j'en ai plein dans le grenier. »

J'ai pris un maximum de ce qu'il voulait bien me donner, pour être sûre de ne pas m'embêter au bout de deux jours, et me changer de l'éternelle console de jeu qui me mettait les nerfs en pelote. Par moments, je passais vingt-quatre heures sans dormir dans la cache, parfois, je sombrais douze heures d'affilée, mais quand le stress était trop violent et que je ne savais plus quoi faire, c'était terrible. J'avais absolument besoin de m'occuper l'esprit, de m'organiser, de faire quelque chose pour ne pas devenir dingue.

C'est là, dans ce magazine, que j'ai découvert un bon de commande pour un abonnement au nom de

Michèle Martin, route de Philippeville, 128, à Marcinelle.

Sur un autre exemplaire, j'ai remarqué qu'il était inscrit « cellule 154 ».

Et quelques jours après, je l'ai observé, lui, pendant qu'il ouvrait son courrier à table. J'étais mal placée, je ne pouvais voir les lettres qu'à l'envers, alors j'ai fait l'imbécile en gigotant pour pouvoir lire l'adresse. Le code postal que j'avais vu sur le bon de commande était simple : 6001, il y avait le même sur l'enveloppe. Et le numéro de la rue : 128...

J'ai essayé de me concentrer sur le nom, parce qu'il bougeait beaucoup les enveloppes, et j'avais du mal à suivre. Mais j'ai pu lire : « Marc », sans voir complètement le nom de famille, mais avec la même adresse à Marcinelle.

Lorsque je lui avais demandé comment il s'appelait, il avait répondu :

« Choisis, Marc ou Alain...

— Je préfère Alain. »

C'était le prénom du coiffeur sympathique où nous allions, de préférence à Marc. Ce prénom me rappelait un sale gosse de la résidence. Mais je n'ai jamais pu l'appeler Alain. Il était « vous », sans rien d'autre.

J'étais donc ici au 128, route de Philippeville, à Marcinelle, et ce salaud s'appelait Marc Dutroux. Je lui ai demandé s'il avait été en prison puisque j'avais vu un numéro de cellule sur le magazine. Il m'a répondu oui.

« Longtemps ?

— Oui. Beaucoup trop longtemps. Maintenant, je fais des choses interdites par la loi pour me venger des flics et des juges, et ils ne sauront plus me prendre... »

Marcinelle ne me disait rien du tout, je ne savais pas où ça se trouvait. Si j'avais vu Charleroi, je me serais mieux repérée. Au moins, j'étais sûre d'être en Belgique.

Par rapport au code postal de chez nous, 7540, je ne devais pas être à des centaines de kilomètres de la maison. Si je tenais compte de l'heure de mon enlèvement, et de celle de mon arrivée...

7 h 25, disons 7 h 30, il m'arrache de mon vélo.

10 h 30, j'ai regardé ma montre au moment où il m'a attachée sur le lit. J'avais dû arriver devant cette maison aux environs de 9 h 30... Donc deux heures de route...

C'est là que l'obsession du téléphone m'est venue.

Je l'avais repéré presque dès le début. Chaque fois que je montais à l'étage pour manger avec lui, je le voyais planté sur le réfrigérateur à ma gauche. Et je posais chaque fois des questions.

« Il marche, le téléphone ?

— Tu ne peux pas appeler, c'est une centrale du quartier général.

— Mais si je pouvais appeler mes parents juste cinq minutes...

— Non, tes parents sont sur écoute, et le chef le saura, il va te tuer.

— Ils diront rien, je dirai pas où je suis, ni avec qui, ni rien d'autre, je veux juste savoir si ça va bien...

— Non ! »

À la prochaine occasion, je recommençais :

« Juste deux minutes, même pas cinq... juste deux minutes !

— Non ! Le chef ou quelqu'un de la bande va savoir que tu n'es pas morte, ou que tu n'es pas partie dans un réseau, et là ça va barder ! »

Au fur et à mesure que le temps passait et qu'il disait non, toujours non, j'étais obsédée par l'idée d'appeler mes parents. Ce téléphone aboutissait au central du chef qui voulait me tuer, et j'avais avalé cette histoire. La première fois, j'avais fait « oh ! », l'air de dire : « Dans ce cas-là, j'ai trop peur, je n'appelle pas. » Et effectivement j'avais peur.

Mais c'était embêtant de renoncer, j'enrageais de voir tous les jours cet appareil me narguer. Et surtout de le voir, lui, appeler. Une fois, j'ai entendu qu'il disait « Miche » et faisait des bisous dans l'appareil...

« C'était une femme alors ? Je vous ai vu faire des bisous...

— Non ! T'occupe pas ! J'ai pas de femme. »

Quelquefois, j'ai entendu des « Michel » sans pouvoir déterminer s'il s'agissait d'une femme ou d'un homme. J'ai su bien plus tard, après l'enquête, qu'il y avait au moins trois Michel dans son système. Michèle, sa femme, Michel, le gringalet à la casquette, et un autre Michel, complice de ses trafics de voitures et autres combines d'escroc.

Mais lorsqu'il me voyait observer ses coups de fil, il se cachait derrière le réfrigérateur pour que j'entende moins, ou alors il mettait sa main sur le combiné et m'ordonnait :

« N'écoute pas, continue de manger ! »

Je n'avais pas beaucoup de temps pour manger. Parfois, il me faisait monter et me redescendait dans la cache aussitôt après, au bout d'une demi-heure environ. Parfois, s'il avait décidé de « faire ses airs », il m'emmenait à l'étage et, là, j'y passais bien trois heures...

Une fois, j'ai voulu essayer de téléphoner quand même. Il était justement occupé à l'étage et avait l'air de prendre son temps à je ne sais quoi, je préférais ne pas savoir de toute façon. Je me suis approchée du réfrigérateur, mais, au moment où j'envisageais le moyen d'attraper comme je pouvais ce maudit téléphone, il est redescendu. J'ai prétendu que je m'apprêtais à monter aussi ; il n'a pas tiqué, mais j'ai eu chaud. Aujourd'hui, mon petit téléphone portable est mon meilleur ami, j'y conserve tous les messages, il ne me quitte jamais. Mais quand je repense à ce téléphone en haut de son piédestal trop haut pour moi, j'enrage. Ce monstre était sûr de lui et de la peur qu'il m'avait inspirée avec son histoire de méchant chef. Ce téléphone était tout bêtement relié à une ligne extérieure normale. J'aurais pu parler à mes parents, ils auraient compris que j'étais toujours là, vivante, à attendre qu'ils me sortent de là. Car c'était simplement ce que j'espérais faire sur le moment, je n'aurais même pas appelé la gendarmerie : la menace de mort pesait aussi sur eux, il me l'avait fait comprendre. Et si j'avais entendu une voix bizarre de « quelqu'un de la bande », j'aurais raccroché aussitôt. C'était risqué, mais le besoin de parler à mes parents était le plus fort à ce moment-là. J'étais persuadée que je ne pouvais pas lui échapper, toute tentative de ma part mettant ma famille en danger, mais j'étais sans nouvelles d'eux, à part ce qu'il m'en disait, et la frustration était trop dure.

Je sais ce que j'ai écrit à mes parents, en gros que je me sentais punie d'être là, et que je ne voulais pas y rester. J'ai demandé beaucoup de détails sur leur vie à la maison, s'ils pensaient pouvoir payer la rançon — car j'espérais malgré tout. J'ai parlé des « airs » du monsieur qui me gardait, et demandé aussi des détails, les horaires de travail de ma mère à l'hôpital, par exemple. Je voulais noter des repères venant de l'extérieur sur mon calendrier. Le jour où nous allions manger chez ma grand-mère, ma « Bonne Maman », l'anniversaire de Sam, mon chien, les jours de congé de maman. Je marquais d'une croix chaque jour qui passait, pour ne pas me perdre dans cette cache infecte.

Et je n'ai pas eu de réponse à ma lettre autrement

que par lui, évidemment. Je résume : « Écoute, tes parents ont eu de tes nouvelles, un copain l'a donnée à ta mère. Elle a dit que tu devais bien manger, que tu ne te lavais pas très bien, et aussi que tu devais aimer le sexe. Et comme ils ne peuvent pas payer, tu restes là. Ils se sont fait une raison. Et tu devrais en faire autant. Maintenant, c'est une nouvelle vie qui commence, tu seras ma “nouvelle femme”... »

Et j'en oublie certainement dans tout ce qu'il inventait pour me faire admettre que j'étais abandonnée entre ses pattes de monstre, et qu'en somme mes parents étaient d'accord. Une fois, beaucoup plus tard, il m'a même raconté que mes parents avaient emballé toutes mes affaires dans des cartons. Ce qui voulait dire : « Tu n'existes plus, tu es morte pour eux, tu ne les reverras jamais. Et ils s'en moquent. » C'était d'une cruauté sans nom. J'imaginais toutes mes affaires dans des cartons, on me déménageait dans l'oubli. Je n'avais plus d'existence.

Au début, je faisais un peu semblant d'accepter « la nouvelle vie », mais je pensais tout de même : « Ce n'est pas possible que mes parents s'en foutent ! Un jour ou l'autre ils vont arriver avec trois millions et me libérer. Je leur ai raconté ce qu'il me faisait, ce n'est pas de ma faute si je suis enfermée dans cette cave ! »

Il avait beau me dire que j'étais abandonnée, morte pour eux, j'espérais jour après jour. Je tenais — il fallait tenir, je n'avais pas le choix. Chaque jour qui passait était un jour de vie gagné.

La manipulation que ce «connard» avait inventée occultait tout raisonnement logique. J'étais abandonnée, point. Mais je voulais quand même leur écrire, leur expliquer que jusque-là je supportais ma détention, sans les accuser. J'ignorais ce qu'ils avaient fait de mal pour que j'en sois punie, je ne voulais pas les culpabiliser parce que je me sentais coupable moi-même. D'abord de m'être laissé attraper, ensuite de subir ce type horrible. Et au fond, je n'avais pas confiance en eux. La petite dernière a toujours le sentiment d'encombrer les autres, de ne pas être à sa place dans la maison. De toujours faire les choses plus mal que les autres. Alors l'idée d'abandon total pouvait faire son chemin. Pourtant, je m'obstinais à survivre, à écrire, à réclamer en quelque sorte cet amour qui m'avait manqué avant. Et c'est moi que je rendais coupable de ne pas écouter, de ne pas être assez attentive aux autres, de ne pas balayer dans la maison, d'être trop indépendante, d'avoir mauvais caractère... Je n'avais pas été assez «gentille»... donc j'étais punie. Parfois, je me révoltais, trouvant qu'ils ne se donnaient vraiment pas de mal pour me sortir de là. Et en même temps j'avais toujours cet espoir, les premières semaines, que mes parents allaient remuer toute la Belgique pour me trouver. Mais au bout d'un mois, je me suis dit : «Ça y est, ils ne me cherchent plus», puis : «Ou alors ils me cherchent et je ne suis pas au courant», puis : «Ils me croient morte.» J'étais perdue dans mes idées. Je ne savais plus quoi penser ni d'eux, ni de moi, ni de ce type, et j'étais complètement paumée. Lorsqu'il venait me chercher pour manger, j'avais presque une sensation de liberté provisoire. Parfois, il me laissait croupir dans mon coin. C'était irrégulier. J'entendais des bruits à l'étage, et je faisais silence, imaginant que la bande, ou le chef, était là-haut. Le comble était de me sentir presque rassurée si j'entendais sa voix horrible annoncer : «C'est moi.»

Un jour où il était parti, j'avais fouillé dans le capharnaüm qui encombrait l'accès à mon réduit, espérant y trouver de quoi me distraire. C'était un tas d'objets abandonnés là — une carcasse d'ordinateur, des cartons, des morceaux de tout et de rien. Je n'y avais rien trouvé d'intéressant.

De là est venue l'idée de leur écrire. Il avait accepté — ça ne le dérangeait évidemment pas puisqu'il gardait les lettres pour lui. Je crois en avoir écrit cinq ou six, les enquêteurs n'en ont retrouvé que trois. Sous son paillasson. Je me demande bien ce qu'il comptait en faire, un album peut-être ? Ou se régaler de ma misère.

D'après mon calendrier, j'ai écrit une deuxième fois à la date du 9 juillet. Celle-ci a disparu. J'ignore ce qu'il en a fait, en tout cas il l'a lue, et il est bien le seul. J'attendais toujours une réponse de mes parents, une délivrance, et dans ma tête la confusion était totale au sujet du soi-disant « mal » que mon père aurait fait au soi-disant « chef ». Parfois, celui que j'appelais dans mes lettres « l'homme qui me garde » faisait allusion à une histoire d'argent entre mon père et ce chef. Parfois, il affirmait : « Ton père a fait du mal au chef. » Mes questions incessantes, mes pleurs n'obtenaient le plus souvent que des réponses menaçantes, et le dialogue était impossible. « Tais-toi ! » « Arrête de pleurer ! »

Il m'avait donné des « nouvelles ». Je ne pouvais pas me douter qu'il se servait tout simplement des questions enfantines de ma lettre pour me rapporter des propos que ma mère aurait tenus à « l'intermédiaire » chargé de lui remettre mes écrits « en main propre ».

J'avais décrit comme je pouvais ce qu'il me faisait subir, et ma mère aurait répondu que je devais être gentille avec lui, et accepter tout ce dont je me plaignais car, si je l'énervais, il me donnerait à quelqu'un d'autre qui me torturerait. À douze ans, c'était compliqué de comprendre une chose pareille. Comment « aimer » ce qu'il me faisait ? Comment l'accepter alors qu'instinctivement je ne pouvais que le repousser ? Il y avait aussi l'idée que mes parents m'abandonnaient, « se faisaient une raison de ne plus me revoir ». En somme, je payais une « faute de mon père », ma famille aurait accepté de m'échanger de cette manière, au lieu de payer trois millions. Ce redoutable lavage de cerveau durait depuis plus d'un mois. Et il a fonctionné jusqu'au bout.

J'observais de plus en plus, pour essayer de savoir où je me trouvais plus précisément.

Dans la chambre du calvaire, j'essayais de glisser un œil au travers du rideau de la fenêtre. J'avais vu le chemin de fer, et le peu que j'apercevais n'était pas très gai comme environnement.

Les clés sur la porte de la première pièce me fascinaient davantage lorsqu'il lui arrivait de les laisser dessus. Cette envie d'ouvrir, pour voir, savoir... c'est énervant d'être enfermée quelque part sans repères extérieurs. Où étaient les maisons de la bande ? Et celle du chef ? Derrière nous ? Tout autour de nous ? Où allaient ces trains ? D'où venaient-ils ?

Il voulait sans doute m'impressionner en me montrant aussi son arme, ou bien me convaincre davantage encore qu'il était capable de me protéger efficacement. Un jour, il l'a sortie d'un panier à linge planqué à trois mètres de haut sur les armoires de cuisine de la première pièce de la maison, en face de la porte d'entrée. En tout cas, il n'avait rien à craindre, jamais je n'aurais pu l'attraper. Mon père ayant été gendarme, j'avais tout de même une vague notion de ces choses-là.

« Il sert à quoi, ce pistolet ?

— C'est que parfois il y a des drôles de gens qui viennent sonner ici. »

Il faisait allusion au « quelqu'un de la bande » dont je n'ai jamais vu ni la silhouette ni le visage. Si j'étais dans la deuxième pièce à ce moment-là, il refermait soigneusement la porte de communication pour aller ouvrir celle de l'entrée, et, comme le volet était baissé de mon côté, je n'entendais ni ne voyais rien. Et je ne cherchais pas à savoir, la consigne étant de ne pas bouger et de me taire. Tout ce qui venait du dehors, donc de ce quartier général fumeux dans mon esprit, représentait un danger de mort. Je me suis dit : « Bon, il a une arme pour me protéger. » C'était une pièce de plus au scénario qu'il m'avait fait avaler.

Dans la cave, je devenais réellement claustrophobe. Ce jaune affreux sur les murs me rendait malade, la mousse du matelas se décomposait, j'avais trop froid ou trop chaud dans ce caveau humide, et mal aux dents. Je m'en étais plainte une fois, une fois seulement, car il m'avait répondu :

« Si tu as mal, je te l'arracherai... »

J'étais en retard de deux ans sur cette histoire de dents. Certaines dents de lait devaient encore tomber, on m'en avait arraché, mais il en restait quatre à supprimer. Et les nouvelles poussaient, et ne trouvaient pas leur place. J'avais des rages de dents à hurler et, comme le pain était pourri et les conserves immondes, je me rabattais sur les Nic-Nac, ces biscuits durs qui me broyaient les gencives. J'avais dû pleurer pour avoir une brosse à dents, mais je ne pouvais m'en servir que lorsqu'il me montait à l'étage. Donc, quand il s'en allait en « mission », pas de brossage de dents. Pas de petite lessive non plus pour ma culotte, je ne pouvais la laver qu'en haut, dans la salle de bains. Si j'utilisais mon jerricane pour au moins la rincer, je manquerais d'eau à boire. Même chose pour me laver le visage : je n'avais rien, pas de gant de toilette, pas de savon ni de serviette. Parfois, je vidais un peu de mon eau à boire dans ma tasse pour m'en asperger la figure et je m'essuyais avec le drap qui recouvrait ce matelas miteux, mais je me sentais de plus en plus sale. Et si c'était lui qui me lavait dans la salle de bains de l'étage, il frottait tellement que ma peau s'en allait, j'étais rouge écarlate en sortant de là.

Je pouvais toujours rêver de la baignoire de la maison, de la savonnette qui sentait bon, de la serviette-éponge bien douce et bien propre... Je me demandais parfois ce que penseraient mes parents s'ils me voyaient dans cet état, et s'ils savaient à quel point je souffrais de subir ce récurage brutal et ignoble qui ne me lavait de rien.

Le pire, quand ce maniaque s'en allait, c'était la présence du seau hygiénique. Une horreur. Je ne pouvais pas le vider avant qu'il revienne. Et s'il partait six jours, j'avais ça à côté de moi pendant six jours. Je ne pouvais que râler dans ma tête, même si j'avais envie de taper sur les murs. En son absence, le silence était plus que jamais de rigueur. Au cas où « quelqu'un de la bande », le chef lui-même peut-être, viendrait dans la maison. « Il pourrait t'entendre ! »

En réalité, il m'aurait fallu hurler vraiment fort pour

qu'on entende quelque chose. La porte de l'escalier qui menait à la cave était toujours fermée. Mais cette consigne de silence a malheureusement fonctionné jusqu'à la fin, tellement j'avais peur. Comme celles qui m'avaient précédée, j'imagine.

Un jour, je ne sais plus quand, pour passer le temps et oublier qu'il allait revenir me chercher le soir et faire ses « airs », j'ai décidé de fouiller à nouveau ce débarras, justement parce qu'il l'avait défendu. J'en avais marre de recopier des phrases, marre de ce jeu idiot, marre de tout, et surtout de lui. J'ai eu envie de faire la peste : « Ah ! tu ne veux pas qu'on regarde dans tes affaires ? Je vais y mettre mon nez ! »

J'ai fouillé avec prudence tout de même, pour ne pas qu'il s'en aperçoive. Il y avait des morceaux d'ordinateurs. Beaucoup de cartons que j'ai laissés de côté car ils étaient empilés dans le fond du réduit presque jusqu'au plafond. Si j'en attrapais un, les autres allaient me tomber dessus. Il était difficile de se mouvoir dans cette portion du réduit, car la barre qui soutenait les rails de la porte de deux cents kilos entravait mes mouvements. Mais il y avait, plus près de moi, des boîtes à chaussures remplies de papiers. Je n'ai pas entamé de fouille systématique, j'avais trop peur qu'il arrive par surprise. Je suis tombée sur un carnet dont je n'ai pas soupçonné la relation qu'il pouvait avoir avec mon enlèvement. Il portait le nom de Michèle Martin. Sa femme, la mère de deux de ses enfants, mais surtout sa complice… Ça ne me disait évidemment rien à ce moment-là.

Mais j'ai trouvé aussi trois photos de filles nues, de mauvaise qualité, et prises en contre-plongée. Je me suis tout de suite reconnue.

« C'est moi ! »

C'était bien moi dans sa chambre. Le visage marqué par l'angoisse, les yeux gonflés par les larmes, le corps couvert de plaques rouges. J'étais encore sous l'effet des médicaments, ce premier jour, ou le deuxième, je ne sais plus.

J'ai eu envie de les déchirer, mais j'ai réfléchi que, s'il revenait les chercher et ne les trouvait pas, je risquais de graves représailles. Je n'ai pu que les dissimuler dans un autre endroit, en espérant qu'elles y resteraient le temps de trouver une idée pour les détruire un jour, si je sortais de cet enfer. C'était pitié de me revoir ainsi, méconnaissable.

Dans cette boîte à chaussures, il y avait aussi des papiers, des clés, des porte-clés. Pas d'autres photos. Les clés ne pouvaient pas me servir dans ma cache. Je connaissais celle de l'entrée, je la regardais souvent de loin.

Je me suis dit qu'il n'y avait là que des bricoles qui ne m'aideraient en rien à espérer une vie meilleure dans ce trou à rat. C'est en me redressant que j'ai aperçu une drôle de petite boîte, nichée dans le rail qui permettait de soulever la porte de la cache. Les rails formaient un U, et la boîte était posée à cet endroit. J'ai réussi à l'attraper. Elle était neuve, bien que pleine de crasse, et bourrée de balles de pistolet. Il n'en manquait pas une, apparemment. J'ai pensé qu'elles correspondaient à l'arme qu'il m'avait montrée à l'étage. J'ai remis la boîte en place, persuadée que, tant que les balles restaient là, il ne pourrait pas se servir de cette arme. C'était stupide, il en avait certainement quelque part dans les pièces du haut.

Plus tard, j'ai su qu'au cours d'une perquisition on avait retrouvé une deuxième arme dans son réduit. Si je l'avais dénichée moi-même, si la boîte de balles lui correspondait, est-ce que j'aurais eu le courage ? Pan ! Et c'était fini ?

J'ai tout remis en place, avant qu'il revienne. Et il est arrivé, avec sa voix bizarre et son accent qui m'énervait :

« C'est moi... »

Le rituel avant de débarrasser tout ce qui encombrait les étagères et de soulever la lourde porte pour me laisser sortir.

Là-haut, dans la chambre du calvaire, j'entendais le train passer, c'était horrible. Avant, quand je dormais chez ma grand-mère, j'entendais aussi le chemin de fer, il me gênait un peu parce que j'avais du mal à m'endormir étant petite, mais j'avais le coussin douillet de Bonne Maman, je le mettais sur ma tête, et j'oubliais. Là-bas, c'était pire ; j'avais l'impression que chaque train roulait sur le toit de la maison, et il y en avait beaucoup. Je ne les comptais pas. Je ne les voyais pas par la fenêtre, mais à l'oreille il en passait bien dix ou quinze par jour, et je ne pouvais plus les supporter. Je les entendais moins quand j'étais dans la cache, le béton assourdissant le vacarme. Mais là-haut… c'était horrible. C'est peut-être pour ça que je déteste le train, pourtant je ne repense pas à cette chambre ou alors c'est inconscient. Même de loin je repère à l'oreille un train qui passe. Malheureusement, je suis obligée maintenant de le prendre tous les jours pour travailler, matin et soir, entre Tournai et Bruxelles, et je déteste cette vie de navetteur. J'espère ne pas mourir un jour dans un accident de train, sinon à mon dernier souffle je râlerais encore parce qu'un train m'aurait tuée !

J'observais beaucoup depuis le début. Je m'étais ruée sur mes bouquins de classe, j'écrivais, je dessinais, mais j'avais peur d'utiliser trop vite ma lecture. J'écoutais aussi de la musique, mais souvent elle me rappelait trop ma vie d'avant et je fondais en larmes. Par moments, je ne faisais rien du tout ; je me posais des questions à n'en plus finir sur cette contradiction permanente : « Il se prétend mon sauveur, mais il me fait du mal. » Et je tournais en bourrique toute seule dans ce caveau minuscule, c'était une véritable horreur, je ne pouvais même pas me regarder dans une glace, et me parler à moi-même. J'avais toujours peur de perdre mes repères dans le temps. S'il me faisait monter à l'étage et que je voyais la lueur du jour, en redescendant dans la cache je vérifiais immédiatement l'heure de nuit. Je notais d'avance sur mon calendrier — la croix signifiant qu'un jour était passé — s'il ne venait pas me chercher. Je déplaçais mon seau, je m'installais accroupie sur le matelas pour écrire, la misérable planchette accrochée au mur ne pouvant pas me servir d'écritoire. Je changeais de position, me retournais en tous sens, les murs étaient toujours là. Alors je me raccrochais aussi aux « bonnes choses », si l'on peut dire. Quand il avait fini de faire ses « airs » avec moi et qu'il me fichait la paix, il me laissait regarder la télévision pendant deux heures, et j'étais bien contente, même s'il était toujours affalé à mes côtés, ce grand lâche, même si le programme était choisi et complètement débile, j'avais au moins des images qui me raccordaient à l'extérieur. Parfois, il me donnait aussi une crème dessert ou trois bonbons, et j'avais si peu de bonnes choses à manger que même si je l'avais payé d'avance par une saleté obligatoire, et que ce ne soit pas du tout confortable de l'admettre, je dévorais le petit pot avec délices. Je « zappais » le sale moment précédent en vitesse en me disant : « Allez ! Mange ton dessert, croque les bonbons, regarde la télé ! »

J'étais capable de cette résistance, alors que le moindre changement me déboussolait. Qu'il se mette un jour à gauche de la table au lieu de la droite me perturbait au-delà de toute logique.

Le jour où il a décidé que nous prendrions rapidement les repas dans la deuxième pièce, j'étais inquiète.

« Pourquoi ? Qu'est-ce qu'il y a ? »

Il s'en fichait bien sûr, il avait ses repères, ce salaud, il avait sa vie. Il pouvait sortir et se balader dans sa camionnette pourrie, respirer l'air du dehors, pendant que j'étais enfermée dans ce réduit malsain.

La cache avait été envahie par de minuscules petites bêtes brunes qui volaient un peu et que j'écrasais avec dégoût. J'ai horreur des insectes quels qu'ils soient. J'étais couverte de plaques rouges et je me grattais sans arrêt. Est-ce que c'était psychologique ou est-ce qu'elles m'ont piquée ? Je ne sais pas. Au début, je n'en voyais qu'une ou deux de temps en temps Je les tuais avec ma chaussure. Puis ce fut l'invasion.

Je vivais déjà comme une bête, cette fois, j'étais au milieu des bêtes. Il est venu vaporiser la cache d'insecticide et, pendant deux jours, je n'ai pas pu y dormir au risque d'étouffer. Je suis restée en haut, dans la chambre.

Un jour, j'ai réclamé une punaise, ou quelque chose de pointu. J'avais les oreilles percées, mais, le 28 mai étant un jour de piscine au collège, je n'avais pas mis mes boucles d'oreilles. Je ne voulais pas que les trous se rebouchent. Cette fois, il a refusé. J'ai déniché un trombone, je l'ai déplié, et tous les jours je le passais dans chaque trou d'oreille, puis je le reposais soigneusement sur la petite étagère. Je cherchais à reconstituer lamentablement ma petite organisation, comme à la maison. Ce type habitait dans une poubelle, sa maison était sale, il me traitait comme un animal dans sa niche encore plus sale que le reste, et j'avais besoin de petits rituels pour tenir le coup. Je crois que je cherchais désespérément une logique dans cette histoire de fou, à partir du moindre détail.

Il buvait du café et je n'y avais pas droit, mais j'ai réclamé jusqu'à ce qu'il se décide à me donner un petit percolateur. J'avais froid, j'ai encore réclamé un petit chauffage. Je le harcelais dès que j'en avais l'occasion. Et je tenais le coup sans savoir comment. J'étais peut-être dure, vu de son côté — il a même dit « chiante », je crois —, alors que le désespoir me rattrapait dans des crises de larmes perpétuelles. Un jour, j'ai remarqué que mes larmes lui faisaient presque plaisir, et j'ai décidé de ne plus pleurer devant lui. Et, à la fin, c'était moi qui réclamais la crème dessert, les bonbons, ou le fruit, s'il ne les donnait pas. Je ne supportais pas qu'il décide un jour de me donner un supplément de nourriture, et pas le lendemain.

Je me débattais comme je pouvais, en étant de plus en plus agressive et en essayant d'oublier cette menace de mort qui planait sur ma tête. Mais elle me courait après quoi que je fasse, dans la crasse et les larmes.

Pendant deux mois et demi, j'ai traîné avec la même culotte. Je la lavais quand je pouvais dans le lavabo de sa salle de bains, en sachant malheureusement qu'elle mettrait deux jours à sécher, et je n'en avais pas d'autre. Au bout de la première semaine, je me sentais déjà sale, je réclamais mes vêtements ; il m'envoyait promener tout le temps. Mais au bout de trois semaines, un mois — je n'ai aucune idée du temps —, j'ai demandé à laver mes habits. C'est à ce moment-là qu'il a répondu : « Bon, d'accord, je vais te les laver... »

J'avais gagné une misère de plus.

Et il m'a royalement octroyé, à la place de mes affaires, un petit short et une chemisette qui ne m'appartenaient pas. Je me posais déjà des questions sur lui, je m'en suis posé davantage encore. Il avait sorti ces vêtements de gamin d'une immense penderie à quatre portes, bourrée de vêtements de femme et d'enfant. Il y avait même des nounours dans cette pièce, et un berceau en bas, alors qu'il avait prétendu n'avoir ni femme ni enfants. Et il me serinait que c'était « moi », sa femme ?

Je me suis dit : « Le berceau, c'est vous qui jouez avec ? Les nounours, ils sont à vous ? Les habits, ils sont à vous aussi ? »

Je le vouvoyais toujours, non seulement pour garder mes distances, mais aussi parce que j'espérais que, si j'étais correcte avec lui, il le serait aussi avec moi... C'était un menteur. Dans ma tête je me fichais de lui, de son horrible cheminée dont il était si fier, et il me croyait, l'imbécile. Il se disait intelligent, et prétendait savoir tout faire, alors qu'il était nul et cradingue. S'il avait vraiment des enfants, je les plaignais de vivre avec lui.

Un jour, il m'annonce son départ en mission pour plusieurs jours. Finis les repas en haut, le mauvais hachis, finie la chambre du calvaire — la paix pour quelques jours. Bonjour les Nic-Nac, le seau hygiénique et les boîtes de conserve « dégueu ». Je marque ce départ d'une note sur le calendrier : « Parti ». Dès qu'il revient, j'inscris un « R ». Je crois qu'il est parti cinq jours.

Soudain, je me retrouve dans le noir total ! Plus de lumière, donc plus de ventilateur, et plus de chauffage. J'étais là, dans le noir complet, dans ce tombeau. La panique m'a prise. J'ai tout retourné dans ce bazar, j'essayais de visser, dévisser les ampoules, l'interrupteur ne marchait pas. Je n'entendais plus le ventilateur souffler. C'était manifestement une panne de courant, et j'allais étouffer sans air, je suffoquais déjà d'angoisse. Il m'avait prévenue de ne pas faire de bruit dans la cache, n'importe qui pouvait venir dans cette maison. Mais je m'en fichais bien à ce moment-là. Je me suis mise à hurler après lui, alors qu'il était censé être parti.

« Je suis dans le noir, je suis pas bien, je vois rien, je me cogne partout, je manque d'air ! »

Pas de réponse. J'ai hurlé plus fort.

« Y a plus de courant ! Y a plus de courant ! Descendez ! »

Voyant que personne ne venait, je me suis calmée. Heureusement, le courant est revenu assez vite, car si j'avais dû rester plusieurs heures dans le noir, et sans air, je serais devenue folle.

Mais cette fois j'étais remontée, j'en avais marre de ce trou à rat. Je me suis dit : « Je me casse ! »

J'ai trouvé la technique, mais je n'étais pas assez costaude. Je me suis adossée à la porte de deux cents kilos en béton, et, en m'aidant de mes pieds contre la pile de cartons et tout le fouillis entassé là, j'ai poussé pour actionner le système de rails au-dessus de ma tête. Je poussais du dos de toute la force de mes trente-trois kilos, le corps arqué au maximum. J'ai réussi à ouvrir de quelques centimètres, mais j'étais épuisée, et j'ai voulu prendre un peu de répit pour souffler. Je n'avais pas suffisamment d'appui et les cartons bougeaient quand je poussais des pieds, il aurait fallu un support plus stable.

J'ai bu de l'eau avant de reprendre mes efforts. Dans la même position, je recommence à pousser pour faire bouger davantage ces deux cents kilos de béton. Et là, je casse tout le bazar. Il y avait deux rails avec roulements sur lesquels la porte coulissait et une barre de fer qui servait de contrepoids, enfoncée dans le bas de la porte. C'est elle qui est tombée. Et je n'ai pas pu la remettre en place, je n'étais pas assez forte.

La porte de la cache est restée ouverte comme ça. Je n'avais eu que cinq minutes d'espoir. Plus moyen ni de la refermer ni de l'ouvrir davantage. Et impossible de passer dessous, elle n'était ouverte que de quelques centimètres…

À l'extérieur, il y avait de la prise, pour la manipuler il empoignait une étagère de fer, mais à l'intérieur ce n'était que du béton. Je ne pouvais plus la remettre en place, pas même prétendre que je n'y avais pas touché ! Je me suis donc remise dans ma partie réservée, entre les murs jaunes, sur mon matelas, et j'ai essayé de lire, de reprendre mes bouquins, d'adopter le genre « petite fille sage qui n'a rien fait de mal ». Je ne pouvais pas trouver d'argument justifiant ma tentative. Mais j'essayais de me blinder dans l'attente d'une punition dont j'ignorais la violence. Je pensais : « Il va me lyncher. »

Soudain, j'ai entendu du bruit dans l'escalier. J'ai pensé : « Ça y est, il va me déglinguer la tête. » Je me suis planquée sous la couverture comme je devais toujours le faire dans ce cas, en attendant qu'il dise « c'est moi ». Normalement, il était censé ouvrir la porte, et normalement, je pouvais alors sortir de ma couverture, rassurée par la présence de mon « gardien sauveur ». Il a hurlé. Il m'a traitée de tous les noms !

« Tu es vraiment inconsciente ! Et si le chef était venu, et s'il avait vu que c'était ouvert ! Tu sais ce qu'il t'aurait fait ! Si tu étais sortie de la maison, il t'aurait tuée ! Il n'en a rien à foutre de tuer les gens ! Et avant ça il t'aurait fait des trucs que tu n'imagines même pas ! »

Je m'attendais à recevoir une rouste, à une punition quelconque en tout cas. Mais il me bombardait de menaces de mort et de diverses tortures sadomasochistes, dont effectivement à mon âge je n'avais pas la moindre idée. Des horreurs en tout cas.

Il ne m'a pas battue, il ne l'a jamais fait. Il lui suffisait de lever la main comme s'il allait me frapper : je voyais la violence dans ses yeux et sur son visage tendu de colère. Cela suffisait à me faire taire, ou à me résigner. Il avait un pouvoir plus mauvais que les coups, celui de me coller la peur de la mort en tête.

Il a réparé les dégâts de la porte de la cache, et je n'ai plus jamais recommencé. Ce type était puissant sur le mental d'une enfant de mon âge. Je me suis sentie plus abandonnée et plus désespérée encore. Et je me rendais compte de la folie de ma tentative. Si j'avais réussi, en admettant que je puisse aussi ouvrir la porte du haut de l'escalier, que je puisse ouvrir celle qui menait au-dehors, je tombais au milieu du quartier général, entre les mains d'un tortionnaire impatient de se servir de moi avant de me tuer, pourquoi pas d'une balle dans la tête... Je pouvais tout imaginer, il avait semé suffisamment de détails affreux dans ma tête pour que je sois persuadée d'une fin certaine. Sans compter les représailles sur mes parents que j'aurais provoquées.

La culpabilité est une arme aussi efficace qu'un revolver menaçant.

Quand je pense que ce monstre ne voulait en fin de compte qu'une chose : assouvir ses désirs ignobles sur des enfants, vivant le temps qu'il lui plaisait et complètement à sa merci, qu'il violait des femmes depuis des années, qu'il avait été condamné pour cela et qu'il se rabattait maintenant sur des gamines, en s'étant juré de ne pas se faire prendre ! Je ne suis pas passée loin de la mort. Et c'est un sentiment qui s'incruste à jamais.

Je n'ai pas eu moi-même la tentation du suicide. Je n'en avais pas la possibilité de toute façon, mais ce n'est pas dans mon tempérament, je pense ! Heureusement pour moi, j'étais, sans même en être consciente, une « vivante ». L'espoir était toujours niché quelque part, il n'avait pas de nom, pas d'indice positif tangible ou logique. Il était vraiment mince, mais il était là dans le quotidien sordide. Dans mes incessantes réclamations pour améliorer le « confort » de ma cellule, je lui ai fait remarquer un jour que, chez moi, je dormais avec un nounours. Il m'a donné une vieille peluche, déplumée, qui avait dû ressembler à un ours ou à un chien. Elle était à l'image du propriétaire de cette maison : minable.

Un jour, je sortirai de cet enfer. Je m'accrochais à cet instinct jour après nuit. Car il m'arrivait de « craquer » trop souvent au fur et à mesure que le temps passait.

4

# LE DIMANCHE 14 JUILLET 1996

Chers maman, papa, Bonne Maman, Nanny, Sophie, Sébastien, Sam, Tifi, et toute la famille,

J'ai demandé au monsieur qui me garde pour vous écrire, parce que votre anniversaire à toi maman et à toi Sophie et à toi aussi Sam approche à grands pas. Je suis très très triste de ne pas vous souhaiter un très très joyeux anniversaire et de vous faire un gros bisou et peut-être même de vous offrir un cadeau ! ! Pour toi maman j'avais l'idée de t'offrir un assez gros bouquet de freesias avec des roses ou des fleurs de jardin. Pour toi Sophie, si j'aurais eu assez de sous, un stylo Parker et un par après pour maman qui aimait bien elle aussi. Et pour toi Sam un « petit » jeu ou une boîte de biscuits pour chien bien sûr ! Mais pour cela il faudrait que j'aie des sous et encore mieux...

« ÊTRE PARMI VOUS TOUS », c'est mon vœu le plus cher...

Mais cela n'est malheureusement pas possible. De toute façon, si je reviens à la maison, ce serait pour que nous nous fassions TOUS tuer et de ça je n'en veux pas ! ! Je préfère vous écrire et être ici plutôt que d'être à la maison et être morte. J'espère que vous avez bien lu ma lettre et qu'elle vous a fait plaisir, parce que tout ce que j'ai écrit est totalement *vrai* ! Je vous adore et je pense à vous très souvent et je pleure souvent après vous mais HÉLAS je crois que vous ne me reverrez jamais. J'espère que vous aussi vous pensez encore beaucoup à moi.

Je me demande si quand vous mangez quelque chose que j'aimais ou que vous entendez une chanson sur laquelle je faisais la folle ou que je dansais dessus, je me demande si vous avez une pensée pour moi. Je me demande aussi si quand vous mettez la musique vous dansez, vous dandinez, ou chantez comme avant. Tout ce que j'espère, c'est que vous vous amusiez, que vous mangiez bien (en tout cas c'est meilleur qu'ici !). Et que vous pensiez à moi sans vous rendre malade ! ! Ici, la nourriture est quelquefois bonne, mais aussi dégueulasse. Il n'y a pas un poil de sauce et quelquefois même souvent ce n'est pas fort assaisonné. Quand j'ai de la sauce, c'est très très rare. Ou alors j'ai souvent du haché à la sauce tomate mais elle me donne mal au ventre. Je vous ai envoyé une lettre, enfin par l'intermédiaire du copain de celui qui me garde, et j'en ai eu des nouvelles, il m'a dit maman et les autres que le copain avait été te trouver à la clinique pour être seul avec toi et qu'il t'avait donc donné la lettre que tu l'avais lue tout de suite et que tu avais dit de ne pas me rendre malade en regardant toujours les numéros du réveil ou de ma montre, de « bien manger », de bien me laver et que tu avais dit aussi au copain de celui qui me garde que je ne me lavais pas très bien et aussi que vous alliez tous bien et que vous vous étiez fait une raison, dont celle que vous n'alliez plus me voir et que je devrais aussi « aimer » le « sexe » donc les choses que je vous ai mises dans la lettre. Et que je devais être gentille avec le monsieur qui me garde parce que vous saviez que si je l'énerve il pourrait me « donner » à un de la bande ou un autre qu'il connaît et que la personne à qui il me donnerait me torturerait, me tuerait sûrement mais après m'avoir fait souffrir. Il m'a aussi dit que Sam allait bien aussi et que vous vous occupiez bien de mon jardin et aussi de Tifi !

Au fait avez-vous mangé tous les radis ? Si vous voulez en replanter des rouges et blancs il en reste dans le sachet qui se trouve dans ma boîte à chaussures « Dockers » sur l'étagère grise et il reste, je crois, quelques graines de fleurs mélangées. Et si vous ne l'avez pas trouvée, la boîte à bonbons en tututes se trouve en dessous de l'étagère grise à la cave. C'est toi maman qui m'avais dit de les cacher. Je t'avais dit où je l'avais mise mais je ne sais pas si tu t'en rappelais. Quand vous mangez un dîner ou un dessert ou des biscuits ou bonbons ou quelque chose que j'aimais bien, mangez-le en pensant à moi car moi quand j'ai des friandises ce n'est que parce que j'ai fait ce qu'il voulait si vous voyez ce que je veux dire. Quand on prend notre bain, quand on sort, l'eau est crado si vous voyez ses mains noires comme du charbon, d'accord il travaille peut-être mais quand même. En plus c'est moi qui dois laver la baignoire ! Mais vous voyez quand on a fini il laisse l'eau dans la baignoire pour pouvoir la jeter dans la toilette, il dit que c'est pour économiser l'eau de la chasse ! Quelquefois je dois laver la toilette dégueulasse (parce qu'en bas j'ai un seau à besoins que quand je monte je le vide dans la toilette et que je rince bien sûr), l'évier, le par terre et c'est tout pour l'instant. Je me demande le temps qu'il fait dehors parce que je ne vois que d'une fenêtre et encore quand je suis en bas avec lui et en plus c'est une fenêtre dans le plafond toutes les autres fenêtres ont les volets ou tentures fermés. Je ne peux malheureusement pas aller dehors courir, m'amuser, jouer...

Est-ce que vous allez mettre la piscine s'il fait beau ? J'aimerais tant être dedans avec vous tous et mes amies. Il y a un petit problème aussi c'est que le copain de celui qui me garde ne veut plus donner les lettres que j'écris en main propre à maman. Il dit que c'est trop risqué. Alors à la place, vous aurez mes lettres par la poste et celui qui me garde donnera un coup de téléphone mais je sais pas quand et où peut-être qu'il demandera le numéro de téléphone de Bonne Maman ou quelqu'un d'autre je n'en sais vraiment rien. Mais il y a un autre gros problème...

*Cette partie de ma lettre décrit des sévices que je ne souhaite pas reproduire ici.*

... Mais ce n'est pas tout comme je suis obligée de dormir toute nue il a vu que j'avais des verrues ! Et bien sûr il a décidé de les soigner. Il m'a dit qu'il allait les faire à l'acide sulfurique. Bien sûr je lui ai dit que j'avais déjà fait plusieurs traitements auparavant. Et un jour il s'est ramené avec des bouteilles d'acide sulfurique. Et après il a pris une allumette qu'il a taillée en pointe. Puis ça a commencé. Quand il a regardé la grosseur des verrues il avait l'air de dire qu'on ne m'avait jamais soignée. Alors j'ai dû lui inventer encore une fois que papa était déjà occupé à faire ce système depuis déjà un bout de temps. Et comme il ne l'avait pas fait depuis deux semaines (l'homme) ce matin il l'a fait. Normalement quand je sens que ça brûle ou que ça pique je dois le dire et il arrête, mais quelquefois il continue tout de même ! Hier (samedi) j'ai pris mon bain, je voulais dire ON a pris son bain ! Et alors il a gratté ma peau avec sa main et toutes des petites peaux se formaient j'étais toute rouge ! « Je » prends mon bain toutes les semaines (1x) et quand mes cheveux sont sales je les lave ! Mais ils graissent plus vite parce que son shampooing n'est pas pour cheveux gras ! La salle de bains est crado surtout le sol en plus il n'y a pas de carpette et ce qui ferme la pièce, ce n'est même pas une porte mais un rideau ! Et encore il est craqué, et il n'y a pas le chauffage central dans cette « maison ». Je regrette vraiment de ne plus vous voir vous savez ? Je regrette de ne plus être à la maison parmi vous. Je regrette aussi la salle de bains bien chaude propre et belle. Je regrette aussi « ma » chambre bien chaude elle aussi, bien douillette avec une couette, un bon oreiller, des bons coussins et nounours et objets qui la remplissent. Je regrette aussi la *bonne nourriture,* dont le bifteck-frites, salade, poulet au curry, riz, poule au riz, sauce blanche..., etc.

J'aimerais aussi que vous vous occupiez un peu de la cabane. Au fait vous avez rentré le miroir qui y était ?

Si je vous ai dit le problème des verrues et de l'infection... c'est parce que si au téléphone il demande un peu comment vous faisiez et que vous dites rien il s'en doutera et il sera méchant avec moi. Dans ces derniers jours presque tout le temps il « m'ennuie » mais je suis obligée de faire ce qu'il veut. Quelquefois je peux regarder la TV mais...

*[J'ai ici volontairement censuré des détails.]*

... alors ce n'est pas marrant. Et en plus quand je regarde c'est vers minuit alors il n'y a presque rien. Il y a juste une fois où j'ai pu regarder la fin d'« Urgences » c'était l'épisode où le docteur Ross a sauvé un enfant dans un hélicoptère. J'aimerais aussi voir Docteur Quinn ou encore Melrose Place.

Les derniers temps j'ai été un peu malade j'ai eu une barre de fer dans la tête, le nez bouché et très mal dans la nuque et aussi dans les oreilles ! Il m'a donné du sirop et des gouttes pour le nez. Les gouttes s'appellent Nebacetine. Je ne suis même pas sûre que les médicaments qu'il me donne sont encore bons ou qu'ils sont bons pour l'endroit où j'ai mal. En plus je ne bois que du lait et de l'eau au robinet, quelquefois en haut j'ai droit à du Coca ou du café et parfois un petit bonbon. Presque toutes les choses qu'il me donne sont périmées. Mais lui il dit que la date qui est sur l'emballage c'est la date de vente ! Il a dû partir en mission cinq jours, et il m'a donné du chocolat qui datait de 1993 ! Il avait un « petit » goût de vieux mais je l'ai mangé quand même ! Ou alors tout ce qu'il me donne est produit blanc ou autre, je ne dis pas qu'on prenait de la « marque » tout le temps mais quand même. Même les serviettes hygiéniques qu'il m'a données (au cas où) sont produit blanc. Pendant ce temps-là il boit du Coca (la marque Coca ! ! !), du Nutella, etc.

Mes habits sentent tellement mauvais qu'il les a pris pour les laver. Et à la place il m'a donné une petite chemise d'été courte à manches, et serrante, et un petit slip de plage.

Maman si tu l'as au téléphone tu lui diras comment laver le mieux possible (s'il ne l'a pas déjà lavé) le pull rouge de Bonne Maman pour qu'il ne l'abîme pas (je crois qu'il n'a pas de machine à laver ni de sèche-linge). Maman à chaque fois que tu vas chez Bobonne fais-lui un gros bisou de ma part (même plusieurs) et quand tu vas te coucher fais un bisou sur l'oreille et partout de SAM. Et pour vous autres, faites comme si je vous faisais un bisou ou matin ou soir ou à d'autres moments. Je vous souhaite mille bisous, mille bonheurs, mille cadeaux et toutes les meilleures choses possibles, et aussi un très joyeux anniversaire (maman, et Sophie).

Vous savez quelquefois je regarde les numéros du réveil et je vous dis ce que je fais ou ce que je devais faire, je vous dis aussi que je vous souhaite un très bon courage même si vous ne travaillez pas et aussi que je vous fais mille bisous à l'infini et que je vous adore et je vous souhaite toutes les meilleures choses possibles, et mon vœu le plus cher est de vous revoir très très très vite et vous serrer dans mes bras.

J'ai appris que tu avais mis des choses à moi dans des caisses. Au fait est-ce que c'est vrai ce que tu as dit à la clinique ? Tu diras plein de choses au téléphone pour que j'aie des nouvelles de vous comme je ne peux pas avoir ni des photos ni des lettres. Au fait as-tu trouvé l'album de photos de Sam ? Normalement je l'avais préparé pour la fête des mères mais je l'ai si bien caché que je l'ai oublié, pardonne-moi. J'espère qu'il te plaira.

J'attends de vos nouvelles avec IMPATIENCE ! ! !

P.-S. C'est des carbonnades comment que tu faisais à la maison ? (Dis-le au monsieur.)

P.-S. Dis au téléphone ce que papa a reçu pour la fête des pères et vous pour votre anniversaire et Sam aussi !

P.-S. J'espère que les dessins vous plairont. Ne faites pas attention à mon écriture et aux fautes d'orthographe.

N.B. : Vous savez quand je n'ai plus de livres ou que je m'énerve de trop à la Sega, je fais un peu de matière d'école, et j'ai aussi oublié de vous dire que j'aurai peut-être au mois d'août une fille avec moi. Et qu'il va peut-être trouver une cachette plus grande avec baignoire, évier, etc.

Et que pour l'instant dans cette cachette-ci j'ai quand même des Nic-Nac, pain, margarine (pas de beurre), fromage blanc à l'ail (pas aussi bon que le Garli) et des boites de conserve (pas toutes bonnes).

Et aussi j'oubliais quand il me soigne il me dit comme ça « je suis médecin », j'en sais plus que ta maman (il sait que tu es infirmière), je sais presque tout et je sais presque tout faire, etc. (En plus il n'a presque jamais été à l'école.) Mais comment fera-t-il si j'ai des problèmes avec mes dents ou si j'ai une carie ou si j'ai des problèmes d'yeux ou de ventre ou autre part ?

Je vous adore tous
Je vous fais mille bisous pour
TOUJOURS

Et j'ai appris aussi par l'homme qui me garde qu'il avait su par quelqu'un que papa avait eu des ennuis avec le chef quand il était gendarme ou alors que papa lui avait demandé de l'argent à prêter et qu'il ne l'avait peut-être pas rendu, c'est pour ça que le chef m'a choisie moi pour vous faire du mal ! (ou peut-être que c'est à cause d'autre chose).

J'aimerais bien que vous donniez de l'argent pour me « ravoir », il faudrait demander à quelqu'un, mais il faudrait trop d'argent parce qu'il faudrait en donner en plus parce qu'il me croit morte, alors il en voudrait sûrement plus ! ! !

Au fait comment ont-elles réagi dans la famille et à l'école quand ils ont su ça ?

Dites au monsieur quand vous travaillez, et quel horaire vous faites !

En plus vous savez le papier-toilette est comme celui de la clinique, rêche et fin. Alors chaque fois que je vais aux toilettes mes doigts passent au travers et ce n'est pas agréable !

Et aussi quelquefois quand le chef ou les autres restent plusieurs jours il ne sait pas venir me chercher alors parfois je fais plusieurs jours sans repas complet !

J'espère pouvoir encore vous écrire, si jamais je ne pouvais pas vous écrire pendant un bout de temps c'est pour vous souhaiter toutes les meilleures choses possibles (anniversaire..., etc.).

Et j'espère que vous pensez à moi !

Je vous adore

Sabine

Je vous souhaite de très très bonnes vacances, dites au monsieur si vous travaillez ou si vous êtes en congé et jusqu'à quand !

Je mettais toujours plusieurs jours à écrire une lettre, j'attendais d'avoir le plus de choses à raconter. Elle était datée du 14 juillet, j'ai écrit « lettre » en face de cette date sur mon calendrier. J'ai inscrit « parti » du mardi 16 juillet jusqu'au mardi 23 juillet, ce qui voulait dire que le monstre était en « mission » et que j'étais seule dans la cache.

Tout au long de mes lettres la culpabilité est là. Non sur le fait qu'ils ne veulent pas payer la rançon, mais sur tout le reste. J'avais écrit : « Si je rentre, je serai moins égoïste », et en fait je ne pense pas avoir été si égoïste que ça. Maintenant, je le suis, parce qu'il le faut, j'en ai besoin, mais je pense m'être trop inquiétée d'eux. J'étais enfermée là-dedans et je me disais : « Peut-être que j'étais trop, trop, trop... alors je serai moins, moins, moins... »

Je pensais être punie de toutes ces choses que mes parents me reprochaient : pas assez étudier, pas assez faire le ménage... Alors je disais : « Je serai plus obéissante, je serai plus gentille... » Et dans la lettre suivante, je retournais casaque en écrivant : « Si je n'étais pas gentille, pourquoi est-ce que je ferais ci ou ça pour vous ? » Donc j'essayais de temporiser cette culpabilité. Je me contredisais sans m'en rendre compte, mais c'était la continuation de l'idée qui me trottait dans la tête.

« Je suis punie ? Mais de quoi véritablement ? »

Je n'étais pas une bonne poire, mais j'étais quand même gentille. Comme j'avais beaucoup d'amis, je n'étais pas souvent là. Mais quand on a douze ans on n'est pas la servante de la maison, surtout s'il y a deux sœurs aînées. J'avais encore besoin de jouer, et pas obligatoirement de passer l'aspirateur, de faire les poussières et la vaisselle. Je pouvais être mauvaise, mais mes sœurs aussi étaient de petites pestes à un moment ou à un autre.

Alors je me demandais s'il était normal d'être punie de ça. Et de cette manière.

J'écrivais, je dessinais, je regardais le réveil, je reprenais une lettre qui n'était pas terminée, je rassemblais les billes des pointes de stylo pour les envoyer à ma sœur.

J'avais commencé à faire des poèmes pour Bonne Maman et toute la famille, recopié des grilles de mots croisés, une liste de tous les solécismes et barbarismes que j'avais pu trouver, et même une note de recommandation pour bien manger et bien grandir ! Je m'appliquais toujours dans mon écriture, comme si j'allais passer un examen ! Mais il m'arrivait aussi de rajouter dans l'urgence des feuillets à mes lettres, et, en les revoyant plus tard, j'ai trouvé que l'écriture en était changée. Plus nerveuse, moins enfantine.

> « ... Comme je ne reviendrai sûrement jamais à moins d'un miracle, papa peut prendre mon radio-réveil et vous aussi vous pouvez prendre des choses...
>
> « Même si je ne reviendrai jamais SVP ne jetez aucune de mes affaires (gardez-les SVP)... pensez à moi... si vous mangez des bonbons. »

Ce mardi 23, je l'ai marqué dans mon calendrier d'une étoile rouge qui voulait dire « très très mal ». Il rentrait de mission, il est venu me chercher dans mon réduit, et lorsque j'ai retrouvé l'abri de ce tombeau insalubre, bien plus tard, à bout de forces, j'ai écrit de nouveau. Mais cette lettre, qui était adressée en particulier à maman, ne peut en aucun cas être reproduite dans son intégralité. Ma mère ne l'a d'ailleurs jamais lue après que les enquêteurs l'ont retrouvée sous le paillasson de ce minable salaud. Elle le voulait, mais je m'y suis toujours opposée. Ma souffrance était suffisante, elle n'avait pas besoin de la porter.

J'avais écrit cette lettre hallucinante au fond de la cache, après des supplices dont le souvenir ne concerne que moi. Personne d'autre. J'ai su que ce minable obsédé n'avait pas eu le « plaisir » de la détailler, car elle a été retrouvée dans son enveloppe, fermée par du papier collant. C'est, je suppose, le juge d'instruction qui l'a ouverte.

J'ai accepté et souhaité que mes lettres soient lues au cours du procès, en audience publique et orale, par un enquêteur, afin de m'éviter de le faire moi-même. Mes parents n'assistaient pas à l'audience, je ne le voulais pas, et ils se sont conformés à mon désir sur le conseil de mes avocats.

Si j'ai décidé de la livrer aux jurés d'assises pour la première fois, et en partie seulement dans ce livre, c'est par souci de vérité, afin que l'on comprenne bien jusqu'où peut aller le délire sadique d'un obsédé avide de domination, qui manipule psychologiquement une enfant de douze ans. Les jurés ont pu apprécier. On l'a dit intelligent. Je le conçois dans la mesure où il était calculateur, menteur, manipulateur et lucide.

Pour le reste, ainsi que je l'ai dit — on me pardonnera cette vulgarité —, c'était un « con », sale et repoussant, physiquement et intellectuellement.

Le fait que j'aie survécu, et que ce malade ait conservé une partie des lettres, dont celle qui suit, adressée à ma mère, prouve sa stupidité. Ces lettres ont servi aux enquêteurs, et aux jurés, qui ne se sont pas laissé entraîner dans le fantasme d'un réseau dont il ne serait que la « pauvre victime intermédiaire », comme il a voulu le faire croire. Qu'une gamine de douze ans ait pu croire à l'existence d'un « chef » et d'une « bande », alors qu'elle était enfermée dans sa cave dans des conditions atroces, c'est une technique très facile. En convaincre des adultes est trop « ambitieux » malgré sa cervelle de monstre aveuglé par lui-même. D'autant plus qu'en fait de « bande » je n'avais vu que lui et son acolyte à la casquette, manifestement aussi minable que lui. Mais il refuse de dire la vérité sur la plupart des crimes pour lesquels il a été condamné à la réclusion criminelle à perpétuité avec mise à disposition du gouvernement. Ce monstre a cru pouvoir jouer avec la souffrance des familles des autres victimes, des enfants et des adolescentes, et c'est aussi en leur nom que j'ai souhaité porter ces lettres au dossier. J'étais sa proie dans cette cache, la sienne, je n'étais destinée qu'à assouvir ses pulsions, et j'ai la ferme conviction que m'ayant détruite, et rendue « inutilisable » pour lui, j'aurais subi le même sort que les malheureuses précédentes victimes. Je serais morte. Et il aurait continué à sévir comme d'autres psychopathes isolés avec malheureusement la complicité de leur femme, si, contrairement à ce qu'il avait « décidé », il ne s'était pas fait prendre au piège.

J'ai donc résumé la première partie de cette longue lettre qui rapportait en détail à ma mère les souffrances qu'il me faut tenter d'oublier à nouveau depuis le procès.

Mardi 23 juillet. Il m'a glissé « avant » : « On va le faire, comme ça on sera tranquilles. »

Il m'a dit « ensuite » : « Arrête de hurler, ça ne fait pas si mal ! Toutes les filles font ça ! Et on a mal la première fois. »

Il a ajouté enfin qu'il « ne m'embêterait pas pendant un mois ». Mais il l'a fait quand même et de manière tout aussi odieuse pour la gamine que j'étais alors.

Je passerai également sur les détails sordides de ma santé physique après ces épreuves. Je les ai heureusement surmontées.

Maman,

Si j'ai mis sur le devant de la lettre *« petite lettre réservée à maman la lire que si elle le dit »*

C'est parce que je voudrais te parler plus particulièrement de plusieurs GROS PROBLÈMES !

[...]

... Et puis il m'a redescendue dans ma cachette. Et maintenant maman je suis en train de t'écrire et *j'espère que tout cela te fera réfléchir longuement,* car je vais te demander une chose *très grave et dure* ! Si tu savais ce qu'il me dit et ce qu'il faut que j'endure ! Il dit que je devrais « faire l'amour » avec lui et qu'après je n'aurais plus mal... [...] que je devrais l'embrasser tu sais bien comment, déjà à chaque fois qu'il vient je dois lui faire un bisou sur la bouche (beurk, beurk...).

Je sais je l'ai demandé plusieurs fois mais il « faut » que vous me sortiez d'ici ! Au début ça allait, mais maintenant il a dépassé les bornes, je suis désolée. Une fois une « idée » si on veut m'est venue dans la tête. Je lui ai demandé si vous trouviez l'argent (hélas encore de l'argent) si ce serait possible que je rentre à la maison. Et devine ce qu'il a répondu... OUI.

Bien sûr, il y a un inconvénient, comme le « connard » me croit morte il faudra donner plus d'argent (un million). Alors si vous trouvez trois millions (le plus vite possible SVP) et que j'écris toujours et qu'il téléphone toujours, quand vous aurez les trois millions vous lui direz et il s'arrangera avec vous. Quand il aura l'argent, il m'a dit qu'il parlerait (de son mieux) au « chef » et qu'ainsi je pourrais retrouver la maison. Ne pensez pas que je veux vous faire du mal en vous demandant ça mais si je demande ça, c'est :

1) pour vous revoir sains et en bonne santé si possible !

2) pour ne plus souffrir et retrouver le VRAI BONHEUR !

3) pour nous sortir de cette sale affaire et s'aimer encore plus qu'avant.

Je vous en supplie, c'est très important pour moi et ma vie de l'avenir ! Tu sais maman, j'ai longuement réfléchi à tout ça et ça me désole de vous demander une chose pareille mais pensez-y ! J'espère que vous gagnerez la cagnotte du Loto ou pourquoi pas à télé kwinto ! Ou peut-être s'arranger avec la famille (ou autres personnes) pour qu'ils donnent chacun de l'argent ! Tu sais, j'ai beaucoup pensé à tout ça et quand j'étais dans le lit avec une chaîne (avant d'être sauvée[1]) je pensais toujours que dans un jour ou je ne sais pas, j'allais vous revoir ! Et j'ai aussi réfléchi au passé, je me suis rappelé des souvenirs, mais aussi des bêtises, de toutes les fois où je vous ai mal traités ou mal AIMÉS ! Et je me suis dit que si j'étais en vie, c'était parce que le Seigneur m'a donné une seconde chance pour m'améliorer beaucoup plus dans les choses que je vis, je dis, je fais, donc c'est pourquoi j'ai pris plein de bonnes résolutions pour ma NOUVELLE VIE ! Au lieu d'aller chez mes amies tout le temps, j'irai plus voir Bonne Maman chez elle et plutôt que de rester quelquefois seule à la maison l'après-midi, j'irai la voir, et je m'intéresserai plus à la famille et aussi à mes ÉTUDES ! Tu sais j'ai regardé plusieurs fois mon bulletin, et je me suis dit que j'étais vraiment nulle, 1) parce que je n'ai pas assez étudié, 2) parce que je ne vous ai pas fait plaisir en revenant avec un beau bulletin « tout bleu » et 3) parce que je ne vous ai pas assez écoutés (malheureusement) et que j'ai trop

1. C'est à ce moment qu'il s'est déclaré « mon sauveur ».

joué. Et je suis bien décidée maintenant d'essayer de réussir mes années aussi brillamment que l'a fait Nanny et que fera sûrement Sophie. J'ai même quelque chose à te demander maman : quand tu seras là, voudras-tu me faire réciter mes leçons comme en primaire ? Je crois que c'est une bonne chose pour réussir à tout retenir et ne plus se tromper comme avec « Ambiorix » — qu'est-ce qu'on avait ri avec ça ! Et surtout plusieurs grandes choses que je vous promets (c'est vrai) c'est d'être moins égoïste, par exemple en prêtant mes affaires, en étant plus serviable, plus aimable, et plein d'autres choses encore... Je suis sûre et certaine que vous me trouverez changée, c'est normal après tout ce que j'ai enduré, mon cœur cassé se reformera très vite avec votre aide et votre amour...

Je t'en prie réfléchissez beaucoup mais... pas trop longtemps, car je me laisse aller certaines fois...

Je t'aime, Sabine.

* En plus, maman, qui va me soigner quand je serai malade, quand j'aurai des problèmes d'yeux, de dents et de verrues ou autres choses, c'est toi qui

dois me soigner et m'éduquer. Je promets de vous obéir.

** Je ne vous ai peut-être pas assez montré que je vous aimais mais je vous adore vraiment tous ! Je promets de promener très souvent Sam !

# 5

# Le 77$^{e}$ JOUR

Entre cette lettre et la dernière retrouvée, datée du 8 août, ma santé physique était au plus bas. J'étais victime d'une hémorragie importante et de douleurs épouvantables. J'avais mal sur le côté, mal dans le dos, et si j'essayais de m'allonger sur le ventre, c'était pareil. Dans cette chambre du calvaire où il me traînait encore, j'évitais de me tourner de son côté, je tirais exprès sur ma chaîne, juste pour l'emmerder. Alors que si j'avais eu un couteau…

Il m'avait généreusement attribué en guise de protection de vieux Pampers épais qui ne me servaient guère. Je devais en changer toutes les demi-heures. Dans la cache, sur ce maudit matelas, cette couverture qui me grattait et entre ces murs étouffants, je pleurais toute seule. Le plus dur était de n'avoir personne à qui parler. Cette lettre à ma mère, j'espérais qu'elle l'aurait vite, qu'elle comprendrait enfin que je n'en pouvais plus. Ce sentiment d'abandon total me rendait à la fois agressive et découragée. Je ne me voyais pas comme un monstre, mais je ne me reconnaissais plus. La photo de ma carte scolaire n'avait plus rien à voir avec ce que j'étais devenue. Je me dégoûtais vraiment.

Cette violence faite à ma virginité d'enfant encore impubère et l'obstination de ce monstre répugnant qui n'acceptait même pas de me laisser tranquille, comme il l'avait sournoisement promis, me donnaient l'envie de tuer. Je disais parfois :

« Ça suffit ! »

Il répondait ou ne répondait pas, et lorsqu'il répondait, c'était :

« Mais non, c'est pas grave !

— Ben si, c'est grave... »

Un dialogue de sourds qui me ramenait à mon monologue intérieur. « Il s'en fiche complètement de mon état. Je peux me vider de mon sang, jusqu'à en crever, hurler de douleur, ça ne l'arrêtera pas. »

« Arrête de hurler ! Si le chef t'entend ! »

Une fois, j'ai eu l'idée de demander :

« Je peux compter jusqu'à cent et après c'est fini ? »

Je me dépêchais, un, deux, trois, quatre... à toute vitesse... cent !

Comme à cache-cache...

Finalement, il m'a laissée tranquille quelques jours. Je devais devenir inutilisable pour lui.

J'avais peur de ma propre mort. J'essayais de ne pas imaginer quand et comment elle se produirait, mais je me disais parfois : « Si un jour ce type me tue, j'espère qu'il va me tirer une balle dans la tête avec son pistolet, et pourvu que ça aille vite. » Je voyais défiler des images d'épouvante dans ma tête chaque fois qu'il articulait : « Si le chef sait que tu es vivante... » Sous-entendu tous les sales trucs qu'il m'avait expliqués « avec des engins, ou alors au lasso, ou à la ceinture ».

Je ne me reconnaissais même plus dans la glace de cette salle de bains immonde. Les yeux rougis, les cheveux sales et filasse, et ces larmes qui laissaient des traces sur mes joues à cause de la poussière. Entre autres amusements, il avait voulu couper la frange qui retombait sur mon front, et le résultat était affreux. J'avais dessiné ma tête ronde comme une lune, parce que j'avais l'air d'un clown avec cette frange trop courte. Un dessin représentait l'idéal : « Cheveux coupés par papa ou maman. »

L'autre montrait le désastre : « Cheveux coupés par lui... »

J'avais aussi ramassé une petite mèche pour l'envoyer avec ma prochaine lettre, bien pliée dans une feuille de papier. Il y avait longtemps qu'il s'énervait après cette frange, qu'il voulait la couper « à la chienne ».

J'avais même demandé à ma mère, sur une feuille spéciale, si elle était d'accord sur ce sujet, et sur d'autres encore. C'était une sorte de formulaire sur lequel j'avais préparé les réponses que je désirais de sa part à chaque question que je posais — « oui » ou « non » —, qu'elle devait simplement entourer. Inconsciemment, je me méfiais des affirmations de ce salaud, en réponse à mes lettres.

Il m'a rendu le formulaire, rempli par lui évidemment.

*Est-ce qu'elle a trouvé l'album photos de mon chien ?* Oui.

*Carnet de poésie ?* Oui.

*Cadeaux anniversaire ?* Oui.

*Caisses ?* (Qu'est-ce qu'elle a mis dedans ?)

Cette fois, il n'a pas su donner de réponse.

*Nounours ou objets ?* (Qu'ont-ils pris ?)

Pas de réponse.

*Si je peux rire... ?* Oui.

*Dessins ?* (Qu'est-ce qu'elle en pense ?)

Ici, il a tenté une réponse, mais ce n'était pas l'écriture de ma mère, c'était visiblement la sienne : « Il sont sympathique. » (Sans s... et sans commentaire sur sa prétendue culture.)

*Autres paroles ?*

De la même écriture, il avait dit ce qu'il voulait faire : « Oui, il faut couper tes cheveux en "chienne". »

J'étais sûre qu'il avait répondu à la place de ma mère, j'avais déjà vu son écriture. Je me méfiais de lui depuis qu'il avait prétendu : « Ta mère a dit qu'il fallait mieux te laver... »

Maman n'aurait pas dit ce genre de chose. Elle savait que je me lavais parfaitement bien toute seule, et en matière de toilette corporelle l'idée de ce salaud n'avait rien à voir avec une simple hygiène. Même chose à propos de la piscine. Il m'avait raconté : « Ils s'amusent bien avec ! » C'était un bassin hors sol, qui ne servait guère l'été que pour moi. Pourquoi l'auraient-ils installé au jardin si je n'étais pas là ?

Enfin, en ce qui concernait les cheveux, ça ne collait pas non plus. Tout simplement parce que ma mère se moquait pas mal que je les coupe ou non. Si elle avait répondu elle-même, elle aurait écrit : « Fais comme tu veux », ou rien du tout.

Étrangement, alors que je me méfiais des réponses sur ce genre de détails, je ne remettais toujours pas en doute le scénario qu'il avait inventé. Car il était malin : désormais, il obtenait ce genre de réponse de mes parents par téléphone. C'était plus prudent selon lui... Je ne me souviens plus s'il s'est servi de cet argument pour justifier son écriture, et même si j'ai posé la question. J'étais trop mal en point.

« Tes parents ne te cherchent plus. Ils n'ont pas payé, donc ils pensent sûrement que tu es morte !

— C'est pas possible. »

Si ce type a réussi à me manipuler à ce point-là, c'est que de mon côté j'étais persuadée que mes parents avaient peur, que toute la famille était menacée de mort. Qu'ils ne me cherchent pas, j'en étais persuadée, mais qu'ils me croient morte, je n'arrivais pas à y croire. D'autant plus qu'il m'avait laissée leur écrire, que j'avais eu soi-disant des réponses de leur part, donc ils savaient où j'étais ! Ce salaud m'entraînait sournoisement vers le désespoir. D'autant plus que mes rapports avec ma famille, surtout avec maman, n'étaient pas si chaleureux à mon goût.

Les enfants se sentent coupables très vite, et lorsqu'elle disait sur le ton de la plaisanterie : « Quand tu es née, c'était un accident ! », je traduisais : « Bon, ben, j'aurais pas dû naître, j'emmerde tout le monde. »

Tout comme lorsqu'elle étalait sa préférence pour l'une de mes sœurs, celle qui faisait tout bien tout le temps, moi j'étais une sale gamine qui ne ramenait que des échecs en maths.

Si je refusais de balayer ou de faire la vaisselle, j'étais une peste !

Je l'écrivais : « Je ferai plus ci, je ferai plus ça, je serai plus gentille, je ferai attention à ça... » Et dans ma tête d'enfant, lorsque ce monstre glissait : « Ils te croient morte », je pensais : « Ça y est, je suis abandonnée, bon débarras ! »

C'était une torture de plus.

À d'autres moments, j'essayais de me raccrocher : « Non, c'est pas possible, je peux pas croire ça. » Mais dans la seconde qui suivait l'espoir retombait, pour rejaillir l'instant d'après. « C'est possible, la preuve ! Les jours passent et je suis toujours là... Non, j'y crois pas. Il a dit qu'il avait téléphoné ! »

À cette période, je ne savais plus quoi faire pour résister de la même manière qu'au début. Je craquais réellement. J'étais là depuis plus de deux mois, il me maintenait dans un tel état d'humiliation physique que j'avais de plus en plus de mal à me révolter, et à l'emmerder. Parfois, quand il dormait, j'avais un sursaut…

« Si je pouvais aller chercher ce flingue qu'il m'a montré et si j'étais capable de le faire marcher, je le tuerais bien. » Mais la folie de cette idée retombait vite, j'étais attachée.

Souvent, quand on mangeait, et que je tenais ma fourchette à la main, je me disais : « Je te la planterais bien dans ta tronche, connard ! » Cette fourchette devenait une obsession, mais je n'aurais pas su où la planter.

Enfermée, solitaire, avec ce connard qui me faisait les pires horreurs à longueur de journée, j'ai perdu les pédales tout doucement. Je n'avais plus d'occupation. Plus rien ne m'intéressait. J'en avais marre d'écrire. Je ne savais même plus quoi écrire. La console Sega, je croyais l'avoir cassée un jour de rage, alors que finalement elle fonctionnait toujours, mais je ne pouvais plus voir ce jeu en peinture ! J'avais lu tous les bouquins, et même la lecture m'énervait, je lisais sans rien comprendre. Les derniers temps, j'étais de plus en plus seule, il m'enfermait dans ce trou à rat et disparaissait plusieurs jours. Il ne me restait rien à quoi me raccrocher, je parlais toute seule, je regardais les murs, le plafond, comme si je pouvais espérer passer au travers.

La première idée qui m'était venue quand ça n'allait

pas, c'était : « Libérez-moi, on ne le dira pas au chef, j'habiterai autre part s'il le faut... Prévenez mes parents qu'ils changent de maison, on déménagera, ou on ira faire un casse pour vous payer. » J'imaginais des trucs de fous. Je ne voulais plus être là, j'en avais marre. Je le détestais déjà ce mec-là, et maintenant je le haïssais, parce qu'il me laissait seule, enfermée, que je n'avais même plus l'opportunité de changer d'air en montant au rez-de-chaussée pour manger. Même si je savais ce qui m'attendait ensuite un étage plus haut. Ce n'était pas de l'air spécialement pur dans cette pièce où je prenais mes repas, mais ça changeait. Ce n'était pas de super-conversations avec lui. Souvent, ça revenait toujours au même :

« La bouffe, elle est dégueulasse.

— Arrête de te plaindre, il faut manger.

— Je veux voir mes parents !

— C'est pas possible !

— Je veux pas monter ! J'aime pas !

— Tant pis. »

Pendant deux mois et demi, cette absence de dialogue m'a fait tourner en bourrique. Pour en arriver finalement à cette idée folle :

« Je veux une copine.

— C'est pas possible ! »

J'étais parvenue à la dernière limite de mes possibilités de survie dans cet enfer. L'écriture, je n'en pouvais plus, il ne pouvait pas me libérer, donc il me fallait quelqu'un pour me tenir compagnie.

« Je peux parler à personne, j'en ai marre ! Chez moi, j'avais plein de copines ! J'en veux une !

— Ça va pas ! T'as pas besoin d'une copine ! »

L'air de dire : « Et puis quoi encore ? Aller lui chercher une copine dans son quartier ? »

J'avais perdu les pédales. Et sa réponse était logique dans la mesure où il n'allait certainement pas se risquer autour de chez mes parents, dans un quartier où tout le monde me recherchait. Un criminel ne retourne pas sur les lieux de son crime !

Or, dans mon idée, je voulais une de « mes » copines !

Je ne me rendais pas compte. Dans ma tête de gamine, ce n'était pas plus fou que de lui demander : « Ouvrez-moi la porte et laissez-moi partir. »

Et j'insistais, comme toujours, je pleurais :

« J'ai pas l'habitude d'être enfermée comme ça. En été je suis dehors tout le temps, je suis dans ma cabane, je suis dans ma piscine ! Avec mes copines ! »

Alors il avait eu cette idée de me faire « bronzer » en me faisant allonger sur deux chaises, nue sous cette espèce de bulle qui faisait office de toit. Histoire de me donner l'impression d'avoir du soleil ! Je lui ai dit que ce n'était pas la peine d'être toute nue, parce qu'on ne bronzait pas à travers une fenêtre. Mais il y tenait, ce pervers ! J'ai dû le faire cinq ou six fois.

C'était gênant et ridicule.

Et l'idée fixe d'avoir une de mes copines avec moi ne me quittait pas. Lorsque j'y repense aujourd'hui, je me dis que durant ces derniers jours de séquestration j'avais vraiment la tête à l'envers. Ou bien j'avais régressé momentanément à l'âge de cinq ans ! Mon discours se résumait alors à ceci :

« Je m'ennuie, j'en ai marre, je veux pas rester toute seule... Si vous voulez pas me laisser partir, je veux une copine ! »

Du style enfantin, comme un gosse qui réclame un truc à ses parents jusqu'à ce qu'ils cèdent.

Je ne savais pas qu'il enlevait des enfants, ce monstre. Je me croyais la seule dans mon cas, « sauvée », « protégée » d'un destin épouvantable. Alors il pouvait bien me ramener une copine en visite ! Quelqu'un qui viendrait passer du temps avec moi, jouer avec moi, même dormir avec moi. Je n'imaginais pas une seconde qu'elle subirait le même sort. C'était moi l'otage, et c'était mon père qui avait fait du mal à ce « chef ». La copine, elle, n'aurait aucune raison d'être « punie ». Et puis je n'y croyais pas vraiment. Il allait encore me raconter que ce n'était pas possible.

Le jeudi 8 août, j'ai écrit ma dernière lettre dans la cache. Même s'ils m'abandonnaient, même s'ils me croyaient morte, je m'en fichais. Il fallait que j'écrive. Je trouvais qu'ils ne se bougeaient pas beaucoup pour moi, et qu'ils me laissaient même tomber complètement dans la misère où j'étais. Dans cette lettre, je ne le montre pas. Mais il y a de l'amertume.

Chers maman, papa, Bonne Maman, Nanny, Sophie,

Sébastien, Sam, Tifi et toute la famille,

J'ai été très contente d'apprendre de vos nouvelles. Je sais qu'il n'a pas pu parler très longtemps au téléphone pour qu'il ne se cause pas « d'ennuis ». Dans cette lettre j'aurai peut-être moins de choses à vous dire car je vous ai écrit il n'y a pas très longtemps. J'ai été aussi très contente de savoir que le parrain de Sophie était déjà venu, cela a dû lui faire plaisir. Je sais aussi que Nanny a réussi ses examens, je suis très contente pour elle et je la félicite car elle le mérite, sûrement que Sophie passe en 6e comme elle n'a pas eu d'examens ! Je me demande ce que Sophie a reçu de son parrain comme cadeau, et toi aussi maman et Sam, et j'aimerais si vous avez le temps que tu dises maman au monsieur ce que vous avez reçu. Je sais aussi que vous avez monté la piscine et que vous profitez bien du temps qu'il fait. J'espère qu'il y a du grand soleil et que vous passez de bonnes vacances. Tu as aussi dit maman qu'il avait bien fait de soigner mon infection. Mais tu ne sais pas qu'il m'a fait très mal, qu'il m'a fait saigner ! C'est vrai qu'il est « sympa » de me laisser écrire avec les risques qu'il a déjà pris pour moi. Mais vous savez, la vie ici n'est pas du tout gaie et heureuse ! La maison est cra-dégueu, la salle de bains je vous en parle pas ! (Pas une carpette.) Tu sais maman je savais bien que tu es guérie, mais ce qui me faisait très peur, c'est que tu disais : « Si j'ai quelque chose autre part, je ne fais plus rien. » C'est ça qui me fait peur, je t'aime tellement. Je suis contente aussi que Sam et Tifi vont bien, et j'espère que mes radis sont bons et que toutes mes fleurs poussent bien ! Je suis « contente » que Sophie ait pris Myosotis et Marsu [1]. De toute façon je lui avais dit un jour que s'il m'arrivait quelque chose elle pouvait les prendre. Je sais aussi que papa a pris mon radio-réveil auquel il faut changer les piles, l'ouvrir pour atteindre le bouton pour ajuster l'heure de la sonnerie, etc.

1. Mes deux peluches.

Je suis très contente aussi que vous m'avez tous pardonné et que vous me souhaitez bonne chance. J'espère que Bobonne va bien et que son arthrose ne reviendra pas. J'espère aussi que Sophie était contente que j'allais la voir tous les jours à la clinique quand elle s'est fait opérer et que je l'ennuyais pas trop. Peut-être qu'elle aurait aimé être seule avec ses amies et aussi pour mieux se reposer. Vous savez quelquefois on se dispute, on « s'emmerde », mais au fond de nous, on s'aime quand même bien. La preuve, si je n'aimais pas Sophie et Nanny, je ne serais pas inquiète si Nanny avait réussi ses examens ou pas, et je n'aurais pas été passé mes fins d'après-midi à la clinique auprès de Sophie. Et si je n'aimais pas papa, pourquoi irais-je lui chercher son pull en haut ou son paquet de « toubac » chez José ! Et si je n'aimais pas Bobonne, pourquoi irais-je l'aider en cherchant une boîte de lait ou autre chose à la cave, et pourquoi irais-je l'aider en allant chercher le plateau de café ou en allant l'aider à dépendre son linge et rentrer le panier quand il pleut ! Et si je ne t'aimais pas maman, pourquoi t'aiderais-je en allant chercher l'huile et le vinaigre ou une bouteille de limonade ou autre chose à la cave ? Pourquoi irais-je au Battard, au boulanger pour toi, et aussi en repassant les mouchoirs ou autre chose et en montant les essuies ou le panier ou quelque chose d'autre en haut ? Et aussi pourquoi ferais-je un « massage » à tes pieds entre tes orteils (les petits couteaux comme on disait) quand tu es fatiguée ou alors qu'on allait se coucher tôt en même temps ? Pourquoi ferais-je tout ça pour vous si je ne vous aimais pas ? Peut-être que vous vous êtes fait une raison que vous n'allez plus me revoir, mais moi, y avez-vous pensé à moi ? À ce que je pourrais penser en plus, je sais que je n'ai pas toujours été gentille avec vous, que j'ai été égoïste et méchante, mais après tout, savez-vous me dire pourquoi je suis ici ? Après tout, moi, je n'ai rien fait à ce « chef ». Et je vois pas pourquoi je paierais pour ça. Je suis désolée de vous parler ainsi après tout ce que vous avez fait pour moi, mais il faut absolument que vous me sortiez d'ici. Je suis vraiment triste et malheureuse et vous me

manquez énormément, c'est vrai vous savez ! De un : je « veux » revenir à la maison parce que je voudrais vous revoir. De deux : je voudrais revenir à la maison parce qu'ici ce n'est pas ma place, ma place est parmi vous, avec la famille et les amis, et aussi parce que je n'en peux plus de rester dans ce taudis ! Et de trois : il me fait trop mal...
[...]

... En plus je ne veux pas grandir ici parce que douze-treize ans, c'est le moment où tout commence et je ne veux pas attraper mes règles ici, parce que les serviettes hygiéniques qu'il me donne se décomposent en quelques minutes. Dans la lettre précédente je vous disais que j'avais du pain, mais ce n'est pas du bon pain comme celui de chez De Roo ou Maes, c'est du pain fait par des machines ou je ne sais quoi. Et ce n'est même pas du beurre, c'est de la margarine ! Je vous disais aussi qu'il partirait en mission, et bien c'est arrivé ! Il est parti le mardi 16 juillet jusqu'au mardi 23 juillet. Mais mauvaise surprise pour moi, enfin ! Après il est parti du 1er août au 5 août et le 5 août il est reparti jusqu'au 8 août. Et le

8 août il est reparti jusqu'à ? (Je ne sais pas encore, nous sommes le 8 août.) Enfin, tout ce que j'espère, c'est que vous allez tous bien ; que vous passez de bonnes vacances, mais excusez-moi je ne peux pas m'empêcher de regarder le réveil et de pleurer après vous.

Je vous adore vraiment tous. Sabine.

P.-S. Sur des feuilles à part, je vous ai joint des mots croisés pour Sophie, des billes de stylos (voir petit emballage) et aussi des poèmes faits par moi-même et sans aide ! Ainsi que des dessins et aussi les principaux solécismes et barbarismes que j'ai recopiés d'un dictionnaire qu'il m'a « donné » (il est vraiment petit et nul, il n'y a presque pas de mots !). Les cheveux qui sont glissés dans la feuille ne sont pas ceux que j'ai coupés moi-même mais coupés par lui, il me les a coupés comme un clown, mais encore pire que quand c'était maman qui me les coupait, regardez le petit dessin ci-dessous et vous comprendrez tout de suite ma tête !

Je vous envoie mille bisous, je vous adore tous.

Le dessin des alvéoles (de mots croisés) n'est pas aussi bien fait que celui de Sophie, mais j'ai fait de mon mieux.

« Il » va sûrement téléphoner dans une vingtaine de jours !

N.B. Il dit que je peux lui dire « tu », mais je préfère ne pas trop m'y attacher ! ! J'ai oublié de vous dire quand il est parti en mission j'ai eu droit à une cafetière pour chauffer de l'eau pour faire du « café » (c'est du café soluble, ce n'est pas aussi bon qu'à la maison, mais bon !).

En partant, il m'avait confié : « Je vais te ramener une copine… »

Je n'y ai pas cru. Il m'aurait dit : « Ouvre la porte et rentre chez toi », je n'y aurais pas cru davantage. À ce moment-là je me voyais perdue, coincée dans ce trou pour au moins dix ans ! Mes parents se fichaient pas mal de ce que j'avais raconté dans mes lettres précédentes, je pouvais souffrir le diable, rien n'allait changer.

Le 8 août au soir, il est revenu. J'ai marqué ce jour d'une nouvelle croix douloureuse sur mon calendrier. Le 9, je ne l'ai pas vu, il est signalé « parti ». Le 10 août, il est revenu me chercher dans la cache. Je croyais que c'était pour manger avec lui, mais en montant l'escalier il m'a annoncé :

« Ta copine est là, tu vas la voir tout à l'heure. »

J'étais sidérée ! Contente, parce que je devenais

folle, et qu'une présence autre que la sienne était miraculeuse. Évidemment, je voulais la voir tout de suite !

« Non, non, tu vas "bronzer" et après tu iras la voir. »

Ce rituel stupide me cassait les pieds, et à ce moment-là pire que d'habitude.

Quand il m'a enfin emmenée à l'étage, j'ai attrapé au vol mon petit short, que j'ai enfilé en vitesse dans l'escalier pour ne pas être complètement nue devant la « copine ». Je n'avais même pas pu récupérer ma chemisette ! J'étais bien embêtée.

Je ne voulais pas qu'elle se demande en me voyant dans quelle maison de fous elle était tombée. Une maison où les filles se promenaient toutes nues ?

Et j'ai vu enfin une autre fille, attachée au lit, visiblement nue comme moi sous un drap. Une impression de déjà-vu... Elle n'avait pas l'air bien en forme, il essayait de la réveiller pour qu'elle me voie :

« Je te présente ta copine ! »

J'étais un peu perplexe :

« C'est qui ? Comment elle s'appelle ? »

Je suppose qu'il n'en savait rien... En tout cas il n'a pas répondu. Et j'étais bizarrement contente et gênée à la fois. Sur le coup, je ne savais pas d'où elle venait, je n'avais déjà pas réalisé moi-même que j'avais été kidnappée, et non « sauvée ». Donc, il n'avait pas arraché cette fille à sa famille ! J'imaginais qu'il était allé voir quelqu'un qu'il connaissait, en disant qu'il cherchait une copine pour une gamine qui s'ennuyait d'être seule...

Puis l'image a pris une réalité sous mes yeux. Le lit, la chaîne au cou... Tout me revenait lentement, comme si je faisais le point sur un souvenir flou. Il y avait vraiment quelqu'un, une « copine », c'était vrai, et en même temps... ça m'a traversé brutalement le cerveau : « Mais qu'est-ce que j'ai demandé là ! Qu'est-ce que j'ai fait ? »

Je la fixais, et c'était moi que je voyais. Ce drap, cette chaîne, ce corps nu en dessous... c'était moi. Et j'avais envie de disparaître. Au lieu de ça, j'ai dit :

« Bonjour... Ça va ? »

Je ne savais pas quoi lui dire de plus. Elle avait l'air drogué. Et j'étais gênée devant l'autre monstre qui restait planté là à écouter.

Elle m'a demandé :

« Comment tu t'appelles ?

— Sabine.

— Depuis combien de temps tu es là ? »

J'ai baissé les yeux. Je craignais de dire le chiffre des jours devant lui ; il pouvait représenter une condamnation pour moi, et j'y pensais souvent. Si un jour il estimait que j'étais là depuis trop longtemps et que je l'encombrais, il pouvait se débarrasser de moi en un clin d'œil.

Alors j'ai glissé tout bas :

« Ça fait septante-sept jours... »

Elle se rendormait déjà. Elle était là depuis la veille, mais je n'en savais rien.

# 6

# 80 JOURS

« Tu veux que je la réveille ?
— Non. »

Il m'a redescendue dans la cache, en disant qu'il allait la laisser dormir.

J'avais peur. Je ne m'attendais pas à rencontrer une copine pour la première fois, attachée comme moi sur le lit de ce connard, et à me retrouver comme d'habitude enfermée seule dans mon cagibi. D'où venait-elle ? Je n'avais pas voulu qu'il la réveille, de peur de savoir. S'il l'avait enlevée comme moi, et si ses parents payaient la rançon, elle rentrerait chez elle, dirait qu'elle m'avait vue, alors il me tuerait.

Le 11 août, il m'a fait remonter au rez-de-chaussée, pour manger. Nous étions trois à table. J'espérais discuter avec elle, mais elle n'allait guère mieux que la veille, et il était toujours là à nous surveiller avec sa tête de sadique.

Elle refuse de manger le plat tout préparé qu'il a

comme d'habitude réchauffé au micro-ondes. Elle n'accepte qu'une tartine, et regarde dans le vague. Je comprends qu'elle est encore droguée. La situation est de plus en plus étrange pour moi. En la voyant sur ce lit, la veille, je m'étais dit : « Merde, c'est la même chose que pour moi ! C'est moi qui ai demandé une copine, et il l'a déjà déshabillée et attachée ? Qu'est-ce qu'il lui a déjà fait ? » Et en même temps, j'étais contente tellement je ne pouvais plus supporter ce type ! J'avais enfin quelqu'un avec qui discuter. J'écartais encore le problème de ma responsabilité, engluée dans la manipulation psychologique de mon gardien. Elle était là, je n'étais plus seule dans cet enfer. Mais je devais attendre qu'elle récupère, et que l'imbécile la descende dans la cache pour pouvoir discuter tranquillement avec elle. C'était pour moi un événement considérable, un coin de ciel bleu dans mon désespoir. L'avenir sombre auquel je m'attendais dans la seule compagnie de « l'autre » s'éclaircissait un peu. Nous allions être deux, il avait promis d'agrandir la cache en évacuant le fatras empilé de l'autre côté. Il avait même promis un lavabo !

En attendant, il m'a fait nettoyer la maison. Munie d'un seau, d'une serviette sale et de produit vaisselle, j'ai dû frotter la salle de bains, la pièce du milieu où l'on prenait les repas, et celle devant. J'avais déjà fait le ménage de cette manière une première fois, je ne sais plus quand. Il y avait eu une inondation, et de la boue partout. Il m'avait traitée de « princesse », parce que je me plaignais de la saleté du torchon. Ce type était aussi sale que son torchon. Depuis que j'étais là, il ne m'avait jamais donné la possibilité de nettoyer la cache, qui empestait le moisi et la poussière à tel point que j'en avais le nez perpétuellement bouché. En revanche, j'avais réussi à obtenir de lui des gouttes pour mon nez.

Je suis redescendue dans ce trou à rat. Il gardait ma « copine » avec lui. Il avait voulu qu'elle se promène nue dans la maison, mais elle avait réclamé ses vêtements et il avait fini par céder.

Le lundi 12 août, j'ai noté sur mon calendrier : « Copine ». Il l'avait descendue à la cave.

La lourde porte est retombée sur nous, et elle a découvert l'endroit d'un œil encore embrumé. J'étais censée la prévenir de l'organisation de notre « existence ». Je lui ai d'abord proposé de manger. Elle a encore refusé.

« J'ai peur qu'il me drogue.

— Mange quand même, je suis sûre que tu n'as encore rien mangé.

— Si, les tartines, mais pas de repas. »

Et elle a mangé quelques Nic-Nac avec moi, et j'ai voulu la prévenir des sales manœuvres qu'il allait tenter sur elle, probablement lorsqu'il reviendrait la chercher.

« C'est déjà fait. »

Elle avait aussi pris le même genre de bain que moi. C'était difficile d'en parler, je n'osais pas poser trop de questions. Je crois lui avoir demandé tout de même comment elle avait « supporté ».

« J'avais trop peur qu'il me mette des coups...

— Mais tu es folle ! Moi, il ne m'a jamais tapée ! J'ai hurlé comme une dingue, que c'était pas normal, que je voulais pas, que j'avais mal !

— Moi, quand je t'ai vue, j'ai pensé que tu étais battue. »

J'avais toujours les yeux boursouflés et rouges, à force de pleurer à longueur de journée. Les plaques sur mon corps ne partaient plus. J'avais donc vraiment l'air d'être battue.

« Alors, ça fait longtemps que tu es là ? Et ça va ?

— Si on peut dire... »

J'ai pris mon calendrier, pour lui montrer comment je me repérais. Il était extrêmement important pour moi, il me rattachait à la vie invisible qui poursuivait son cours en dehors de moi. Les jours où ma mère était de repos, celui de la visite chez ma Bonne Maman. Il était aussi malheureusement un repère des jours où il était parti, des R de son retour.

« Depuis le 28 mai, je suis ici. »

Elle m'a regardée avec plus d'attention. Elle était toujours somnolente, il avait dû la droguer plus que moi le jour de mon enlèvement.

« Attends, c'est quoi déjà ton nom, moi, c'est Laetitia ?

— Je m'appelle Sabine. Je te l'ai dit là-haut...

— Sabine comment ?

— Sabine Dardenne.

— Mais je t'ai déjà vue.

— Moi, en tout cas, je t'ai jamais vue. Je suis sûre. D'où tu viens ?

— Moi, j'habite Bertrix, dans le fin fond de la Belgique.

— Et moi je suis à l'autre bout, à Tournai. On se connaît pas...

— Si, si, je t'ai vue ! Y a des affiches partout en Belgique. Tes parents te cherchent comme des fous !

— Ouais, ben, ils me cherchent pas beaucoup ! Aujourd'hui, ça fait septante-huit jours que je suis là...

— Si ! Mais si, ils te cherchent ! Je ne me trompe pas, c'est bien toi ! Si je fais le rapprochement entre la photo et toi, tes parents te cherchent ! »

Je ne la croyais pas. Mes parents ne pouvaient pas me chercher puisqu'ils étaient au courant ! Puisqu'ils ne payaient pas la rançon !

Elle m'a demandé ensuite comment j'étais arrivée là.

« J'allais à l'école, et je me suis fait choper sur mon vélo. Et toi ?

— Moi, j'étais à Bertrix, j'étais allée à la piscine avec ma sœur, son copain et des copines à moi. Comme j'étais réglée, je ne pouvais pas nager, ma sœur et son copain sont partis ailleurs. Moi je suis restée un peu, mais j'en ai eu marre de regarder les autres s'amuser dans l'eau, alors je les ai laissés. La piscine n'est pas loin de chez moi, je rentrais à pied. Et là, y a une camionnette qui s'est arrêtée, un gars m'a demandé ce qui se passait à Bertrix. J'ai répondu que c'était les vingt-quatre heures de mobylette. Le gars a fait semblant de pas comprendre. Et en moins de deux, j'étais embarquée.

— Par la porte de côté ? Par lui ? »

C'était lui ou l'autre, le gringalet à la casquette. En fait, le gringalet lui avait demandé le renseignement, et avait fait semblant de ne pas comprendre. Et pendant qu'elle reprenait son chemin, l'autre était arrivé par- derrière et l'avait chopée. Ensuite, ils avaient opéré de la même manière que pour moi. Sauf qu'ils l'avaient enveloppée dans une couverture pour la transférer dans la maison ; elle devait être trop grande pour se plier dans la caisse. On a su plus tard que des voisins l'avaient vu portant ce paquet, et qu'il avait prétendu tranquillement qu'il s'agissait de son fils, malade...

Le récit somnolent de Laetitia ressemblait ensuite au mien.

« Il m'a donné des médicaments, je les ai recrachés, il m'en a redonné avec du Coca. Je les ai encore recrachés. Alors il m'a dit : “T'es une petite maligne.” »

Il n'avait pas vu tout de suite que Laetitia les avait recrachés directement dans la bouteille de Coca. Il lui a redonné des médicaments en les lui enfonçant dans la gorge, et cet imbécile a bu le reste de la bouteille. Quand il s'est aperçu que le liquide moussait, c'était trop tard, il en avait avalé aussi.

« La troisième fois, il m'en a donné plein. J'ai encore les effets, encore maintenant... »

Elle parlait à un rythme assez lent. Parfois, je lui demandais : « Tu veux une tartine ? » Elle répondait : « Non », d'un air endormi. Moi j'étais lucide, énervée, et elle dans le brouillard.

« Mais qu'est-ce que tu fais à longueur de journée ? »

« Il » m'avait en quelque sorte chargée de lui expliquer comment fonctionnait la cache. Il fallait se terrer si on entendait du bruit, ne répondre que s'il disait : « C'est moi. » Les deux lampes, la faible et la plus forte, qu'il fallait dévisser pour éteindre, l'étagère, le seau hygiénique, les boîtes de conserve dont il fallait boire le jus aussi, le jerricane d'eau. Le pain qui moisissait si vite, le petit percolateur et le café en poudre que l'on avait de temps en temps, mais pas de sucre ! Il était contre, sauf pour lui, bien sûr ! Il me donnait parfois trois pétales de sucre, et je devais me battre avec.

Laetitia m'écoutait toujours mollement. Et j'aurais bien aimé qu'elle se réveille, depuis le temps que j'attendais de discuter avec une copine ! Elle avait visiblement du mal à rester éveillée.

« Mais t'as la télé ?

— Non, non, la télé, elle marche seulement avec la console. Si j'avais eu la télé, j'aurais eu des nouvelles. En tout cas je sais qu'on est en Belgique. »

Cette première journée ensemble était décevante pour moi. Elle dormait à moitié, il avait dû la « shooter» sérieusement. Le lendemain, elle n'était guère mieux, j'avais l'impression de parler toute seule !

Je lui ai montré mon cartable que j'avais eu la chance de garder, et mes cours. Je lui ai dit que j'écrivais à mes parents.

« Tu crois que moi aussi, après, je pourrai écrire ?

— J'ai déjà dû galérer pour pouvoir écrire, tu sais, je m'ennuyais tellement ici que j'avais besoin de quelqu'un, je voulais une copine... »

Sur le coup, elle n'a pas réagi. Elle était tellement dans les vapes qu'elle n'a pas pensé à me dire :

« T'es vraiment une imbécile, alors c'est à cause de toi que je suis ici ? »

Elle m'a raconté qu'il avait dit :

« Un méchant chef te veut du mal, moi je t'ai sauvée... »

« Il m'a dit la même chose ! »

Et je ne me posais même pas de questions sur cette similitude. Elle aurait pu pourtant me faire comprendre enfin que ce salopard racontait des histoires. Laetitia somnolait le reste du temps. Je m'ennuyais. J'avais envie de sortir de là. On était coincées. J'avais rangé les objets comme je pouvais au bout du matelas, je ne savais plus comment m'installer, et je me demandais comment nous allions nous organiser pour respirer à deux dans ce trou à rat. J'y étouffais déjà toute seule. Cet enfermement était un supplice. Enfant déjà, j'avais besoin de liberté. Jouer au ballon dehors. Courir. Ici, j'allais devenir « folle dingo ». Je l'étais probablement déjà. La saleté, mon short dégoûtant, ma chemisette toute noire de crasse. Et cette lumière électrique que je n'éteignais jamais la nuit tellement j'avais horreur du noir.

À un moment, j'ai pensé qu'on pourrait se sauver à deux. Lorsque j'avais tenté de faire bouger cette porte, je n'avais pas assez de force, mais j'avais quand même réussi à la repousser suffisamment pour y passer presque la tête. Alors à deux on y arriverait peut-être ? Puis j'ai abandonné l'idée, je n'en ai même pas parlé à Laetitia. Je m'étais fait engueuler sérieusement et si on recommençait à deux, et que ça rate, il pouvait vraiment se mettre en rogne et nous cogner dessus. Laetitia était plus grande, mais je la sentais psychologiquement — parce que droguée — moins résistante que moi pour affronter des coups éventuels. Et même en admettant que la porte s'ouvre davantage et qu'on puisse se glisser dans la cave, il restait l'escalier, la porte fermée à clé, et les deux pièces du rez-de-chaussée à traverser jusqu'à la porte du dehors, elle aussi bouclée. Le tout sans savoir s'il était dans le coin ou non, et s'il allait nous sauter dessus avec la fameuse « bande du chef ».

J'essayais encore de m'organiser au mieux dans la cache, mais ce n'était pas pratique. Laetitia était allongée sur le matelas, vaseuse, je ne savais plus comment m'organiser. Il n'y avait déjà guère de place pour une, alors, à deux, c'était pire qu'une boîte de sardines. Elle me parlait par moments, et j'attendais toujours en réfléchissant un peu — mais pas trop — à la bêtise que j'avais faite en demandant une copine. Je ne savais pas qu'il allait lui faire la même chose.

Quand il est descendu à la cave, il m'a ordonné :

« Toi, tu restes là ! »

Je savais très bien ce qu'il allait faire avec elle, mais, dans un coin de ma tête, je me disais que pendant ce temps-là j'étais tranquille. Je me suis trouvée un peu sadique plus tard d'avoir ressenti ce soulagement, mais j'étais devenue tellement dingue les deux dernières semaines, et j'avais tant souffert... Lui se moquait totalement de cette souffrance, que l'on soit en sang ou non, qu'on hurle ou pas, ce monstre se défoulait comme il voulait.

Je m'attendais à ce qu'il recommence avec moi, un jour ou l'autre, alors un peu de répit était toujours bon à prendre. Quand il avait ordonné : « Toi, tu restes là », j'avais presque fait « ouf ! » de soulagement. C'était triste, mais c'était comme ça.

Puis j'ai repensé à ce que Laetitia m'avait dit :

« J'ai fermé ma gueule... »

Si elle avait l'air de se laisser faire, il allait s'imaginer qu'elle était d'accord ! Ce « connard » ne voyait pas plus loin que le bout de son nez, il était capable d'y croire ! Comme si on pouvait être d'accord ! Je le haïssais, ce moins que rien. J'espérais que Laetitia allait lui montrer son dégoût.

En revenant, elle n'a rien dit. J'ai vu à sa tête que ce n'était pas le moment de parler de « ça ». Je n'osais pas. J'ai pensé : « On subit comme on peut, on hurle, on se débat, de toute façon rien ne change ! » Et puis il était bien capable de la frapper, et moi aussi après tout je l'avais craint quand il faisait sa sale tête et tapait sur la table, ou me menaçait d'une main en grondant :

« Tu vas te taire ! »

Laetitia a commencé à s'éveiller réellement vers le quatrième-cinquième jour il me semble, le 14 août.

Elle avait faim. À part des tartines et quelques Nic-Nac, elle n'avait rien avalé depuis qu'elle était là, de peur d'être droguée davantage. Elle commençait seulement à reprendre le dessus.

« On peut manger des conserves ?

— Ben, écoute, bon appétit. En tout cas, moi, c'est niet.

— Je vais tenter les boulettes à la sauce tomate. »

Elle n'a mangé que la moitié d'une boulette, tellement c'était infect à avaler froid.

« Y a pas moyen de les faire chauffer sur le percolateur ?

— Ben non, on n'a pas de truc pour cuire ici, tu dois bouffer tout froid. Avec le jus et tout le truc dégueu qui va avec. Le pain, il est vert au bout de deux jours, immangeable. Tu peux te rattraper sur les Nic-Nac, l'eau ou le lait… à condition qu'il ne tourne pas. Et s'il s'est barré, ça peut durer longtemps. »

Nous n'entendions aucun bruit de pas au-dessus, rien, le silence. Laetitia m'avait dit qu'il l'avait enlevée le 9 août. La veille, il s'était encore acharné sur moi. Ce monstre ne restait jamais trop longtemps sans sévir. Il avait fait avaler à Laetitia des pilules contraceptives dont la date était périmée ; il en avait un stock apparemment.

Il l'avait descendue dans la cache avec moi le 12 août, et il en avait profité pour me reprendre le radio-réveil. Je ne pouvais même plus écouter un peu de musique ! Parfois même, je chantais quand j'étais seule. Et puis je craquais et pleurais en même temps... alors j'arrêtais la musique, je la remettais, et ça recommençait. Je craignais surtout que la pile de ma montre s'arrête, et que je n'aie plus de repères dans le temps.

Le 12 août, il était donc revenu chercher Laetitia et, depuis qu'elle était de nouveau dans la cache, rien.

Tant mieux pour nous, sauf que, s'il était parti en mission sans même que j'aie pu lui réclamer de provisions supplémentaires, il allait falloir tenir le coup avec ce qui restait de conserves et de pain. Combien de temps ? Nous étions deux, avec un seul jerricane d'eau, un seul seau de toilette. Rien pour se laver. Il s'en fichait pas mal de ce côté-là. Ce type était monstrueusement répugnant.

Je commençais à trouver bizarre qu'il ne soit pas redescendu nous chercher. Le bonhomme avait des « besoins », il ne se passait guère de jour sans qu'il m'embête. J'avais cru qu'avec la nouvelle il ferait la même chose. Je l'ai dit à Laetitia. C'est bizarre.

Bizarre, ça l'était sûrement pour lui à ce moment-là ! Il s'était fait choper à son tour, le 13 août, et nous n'en savions évidemment rien. Le comble était qu'un gendarme avait mené une perquisition ce jour-là, et n'avait rien vu. Quant à nous, nous n'avions rien entendu. Laetitia dormait, je devais dormir aussi, et de toute façon, si nous avions perçu le moindre bruit, nous n'aurions bougé ni l'une ni l'autre, avant d'entendre la voix du crétin s'annoncer comme toujours avec son accent à couper au couteau : « C'est moi... »

Le pauvre gendarme s'est fait traiter de tous les noms par la suite. Il en était tellement malade qu'il en a pleuré au procès. Il a fait son travail de perquisition, en inspectant la maison et la cave, et je défie quiconque de découvrir l'astuce de cette étagère boulonnée, lestée de deux cents kilos, sans matériel adéquat. Si ce type avait parlé tout de suite, Laetitia aurait peut-être moins souffert, bien qu'il lui ait fait du mal dès le premier jour. Quant à moi, au point où j'en étais, quarante-huit heures de plus ou de moins… Je ne les reprocherais pas à ce pauvre homme. Il ne faut pas se tromper de coupable.

Dans l'après-midi du 15 août, autant que je puisse me repérer à ma montre, j'ai mis d'avance une croix en face de la date, comme je le faisais souvent lorsqu'il n'était pas venu nous « ennuyer », en me disant que c'était un jour de trêve, gagné dans cette guerre quotidienne et immonde. Je n'avais toujours pas l'espoir de voir arriver la paix.

Un jour de plus. J'étais là depuis quatre-vingts jours, et autant de nuits. Sauf une...

On devait manger nos éternels Nic-Nac, ou bien je lui montrais mes dessins et mes cours, je ne sais plus.

Pour dormir, nous allions devoir nous serrer l'une contre l'autre sur ce matelas pourri de nonante-neuf centimètres, lorsque j'ai entendu du bruit.

« Tu entends le bruit ?

— Oui, c'est quoi ?

— Il est peut-être là avec le chef et ses copains. »

Elle était au courant, comme moi, que pour le « chef » nous étions soi-disant mortes, et que ce salaud nous protégeait. Pour elle aussi il était le sauveur ! J'ignore pendant combien de temps elle l'aurait cru, mais c'était le cas.

« Prépare-toi à te planquer sous la couverture. S'il dit que c'est lui, on pourra sortir. »

Ensuite, on a entendu des pas dans la descente d'escalier, le long de la cache.

Cette fois, le « danger » se rapprochait.

« Y a trop de bruit, j'ai jamais entendu autant de bruit, c'est pas normal, on va se cacher... »

On percevait des voix d'hommes qui criaient dans tous les sens, sans comprendre distinctement ce qu'ils disaient.

On était terrorisées, sous cette couverture, on tremblait. Laetitia était encore un peu sous l'effet des médicaments, donc elle était encore plus stressée. Elle ne devait pas comprendre grand-chose, sauf qu'il y avait danger de mort. On parlait tout bas sous la couverture.

Moi, j'étais complètement lucide. Je ne voulais pas lui flanquer la trouille, j'essayais de la rassurer comme je pouvais tout en ayant peur moi-même. Et ce n'était pas facile, mais j'étais « l'ancienne », c'était à moi de guetter le danger et de réfléchir.

« Tu penses que c'est qui ?

— Écoute, ça fait deux mois et demi que je suis là, j'ai plus grand-chose à perdre, j'ai plus rien devant moi... Ou ils sont venus nous chercher toutes les deux et je sais pas ce qu'ils vont faire, ou alors, si c'est une des deux, ça va être moi. Ils vont venir me tuer. On va attendre. »

Je pense qu'il n'y avait pas un millimètre entre nos deux corps, qui tremblaient en même temps tellement on se serrait l'une contre l'autre, face à face, pour pouvoir murmurer.

D'abord, on a entendu le bruit des briques qui traînaient dans la cave, puis qu'on bougeait les bouteilles et les bidons sur les étagères à l'extérieur. Cette fois j'avais la peur, la vraie, celle que l'on ne peut pas juguler. Celle de la mort qui approchait. J'ai chuchoté à Laetitia :

« Ils sont beaucoup, j'ai la trouille. J'ai jamais entendu ça. Ils bougent les bouteilles, ils vont bientôt ouvrir. »

Pourtant, on a entendu sa voix, comme d'habitude :

« C'est moi ! Je vais entrer. »

La porte a glissé lourdement, elle s'est écartée juste de quoi nous laisser sortir et, là, une terreur m'a prise. C'était bien lui, sur la petite marche, juste à l'endroit où il attendait qu'on sorte, mais il y avait plein de gens derrière et autour de lui. J'ai paniqué, folle de peur.

« Je veux pas sortir, je veux pas sortir, c'est qui tous ces gens... Vous êtes venus nous tuer, je veux pas sortir... »

Et à Laetitia :

« Regarde, il a dit que c'était lui, mais on sait pas qui sont tous ces gens. »

Mais très vite Laetitia a désigné quelqu'un :

« Si, lui ! Lui, je le connais, je le connais ! Il travaille à Bertrix ! Je le connais, lui, c'est un flic ! N'aie pas peur ! Sors ! »

À ce moment-là, nous sommes persuadées toutes les deux que notre « sauveur » est allé chercher la gendarmerie, ou bien qu'il s'est rendu comme un brave, bref, qu'il a trouvé le moyen de nous libérer... J'hésite encore un peu, ahurie. C'était vrai ? On pouvait sortir de là ?

Je lui demande même si je peux prendre les crayons de couleur qu'il avait eu la « bonté » de me donner, Laetitia demande à emporter autre chose, je ne sais plus quoi. Il répond :

« Oui, tu peux les prendre. Oui, tu peux. »

Alors, comme une idiote, je lui dis : « Merci, monsieur », en me glissant dans le petit angle du passage, et comme une imbécile je lui fais la bise ! Laetitia fait pareil.

Et j'enrage, depuis, d'avoir cru jusqu'au bout que ce moins que rien, ce type sans nom, cette ordure, aurait eu le courage de se rendre. Il ne sait même pas ce que courage veut dire, j'imagine. Sur le moment, j'ai pensé — mais tout va très vite à ce moment-là — quelque chose du genre : « Il en a eu marre de cette situation, il ne savait plus comment s'en sortir, il a appelé les flics... Merci... » Si seulement j'avais pu lui cracher au visage ce jour-là ! Quand je pense que j'ai raté cette occasion !

On s'est jetées dans les bras des enquêteurs au hasard. Il se trouve que je me suis accrochée au gendarme Michel Demoulin. Après le procès, des années plus tard, il m'a dit :

« Tu ne voulais plus me lâcher, tu m'agrippais si fort... »

Je ne m'en souvenais plus très bien.

Nous deux sous la couverture, tremblantes de peur, cette porte qui se soulève, tous ces gens inconnus... j'avais l'impression d'une meute ! Et puis, comme en accéléré, je glisse sous la porte, je me précipite dans les bras du premier policier et je ne le lâche plus.

Laetitia est tombée dans les bras d'André Colin, celui qu'elle avait fort heureusement reconnu parce qu'il était de son coin. Il lui donne son mouchoir, et elle se met à pleurer dedans. Pour moi, c'est une sorte d'excitation folle à partir de cet instant. Tout ce que je sais clairement, c'est que je vais sortir de là ! Je me fiche du reste, je suppose que l'émotion de cette libération a été aussi violente que la peur de la minute d'avant. C'était tellement soudain, de passer brutalement d'un trou à rat immonde où j'ai croupi quatre-vingts jours à la lumière du soleil !

J'ai cru que j'allais tomber en syncope en arrivant dehors. Je n'avais pas respiré d'air pur depuis si longtemps. Et je parlais, je parlais... comme une folle.

« Je suis contente ! C'est vrai ? C'est vrai que je vais rentrer ? C'est sûr ? Je vais revoir mes parents, je vais revoir maman ? »

Là, je n'avais plus peur. Je tremblais de soulagement, de joie, d'excitation, je pleurais, j'étais euphorique. Je débloquais même un peu, sans vraiment réaliser ce qui m'arrivait enfin. Ce n'est pas une blague ? C'est un rêve ? C'est vrai ?

Et je suis partie en voiture avec mes crayons de couleur, en direction de la gendarmerie de Charleroi et à toute vitesse. J'ai dû les laisser sur la banquette, ces crayons, ou à la gendarmerie. Je ne sais plus ce que j'en ai fait, mais je les revois clairement dans ma main.

Je suis habillée du petit short et de la chemisette crasseuse, les cheveux en bataille. J'exulte !

Dans la voiture, un des enquêteurs a dit en me regardant : « C'est une histoire de fous ! »

Il avait l'air si étonné de me voir là ! C'était Laetitia que la gendarmerie recherchait à ce moment-là. Ils n'espéraient même pas me retrouver vivante après si longtemps. Et c'est donc grâce à l'enlèvement de Laetitia, et à l'enquête rapide qui a suivi, que j'en suis sortie vivante.

Un jour ou l'autre, il en aurait eu assez de moi.

Il aura beau mentir le reste de sa vie, ce type sans nom, pas même digne d'une larve, avait pris l'habitude de kidnapper les petites filles, ou les adolescentes, par deux. Je ne suis pas flic, mais le *modus operandi*, comme on dit en latin, sa manière de procéder, était le même à la fin de sa carrière. Il l'a prouvé tout seul et par deux fois au moins.

Avant nous, il y avait eu An et Eefje, Julie et Melissa.

Je ne cherche pas à me déculpabiliser d'avoir réclamé une « copine » en écrivant cela. J'ai vraiment réclamé cette copine dans la naïveté de mes douze ans et la folie qui commençait à s'emparer de moi dans l'isolement horrible où il me maintenait.

Je suis persuadée que le monstre préparait ainsi sa « réserve ». Je n'étais plus « utilisable ». Laetitia allait prendre la suite.

Seulement voilà. J'ai peut-être un peu précipité les choses. Ou il en avait déjà l'idée, peu importe. Ce qui compte, c'est que, le jour de l'enlèvement de Laetitia, sa camionnette pourrie a enfin été repérée. D'abord par un premier témoin : une religieuse à sa fenêtre a trouvé qu'elle faisait un bruit d'enfer avec son pot d'échappement crevé.

Pour un ferrailleur, puisque c'était son « métier », ce n'est pas malin.

Ensuite, il a été repéré par quelqu'un qui a décrit la même camionnette pourrie, blanche et bringuebalante, une Renault Trafic bourrée d'autocollants sur les vitres. Le garçon se souvenait de trois lettres ou numéros de la plaque d'immatriculation. À partir de ces renseignements, la gendarmerie a retrouvé l'heureux propriétaire de ce tas de ferraille, un maniaque sexuel récidiviste, ex-taulard... Marc Dutroux.

Il a été « chopé » par surprise, m'a-t-on dit, dans le jardin de sa maison, avec sa femme, et aussitôt menotté — j'espère en moins de temps qu'il ne lui en avait fallu pour m'arracher de mon vélo deux mois et demi plus tôt.

Au siège de la gendarmerie de Charleroi, je ne connaissais pas encore ce fin mot de l'histoire. J'étais encore étourdie, mais lucide.

On nous a demandé si nous voulions voir un médecin. J'ai refusé, je n'étais pas malade !

« Ah non ! Moi, je veux à manger, à boire, et je veux me laver. Et retirer ces habits complètement dégueulasses. Et je veux voir mes parents !

— Ton père vient seulement d'être prévenu, il a pris la route, on lui a demandé de t'apporter des vêtements. »

Ma réaction avait surpris les enquêteurs. On m'a dit plus tard que j'étais « sortie de là » avec une vigueur surprenante pour mon âge. C'est possible. Je ne m'en suis pas rendu compte, j'ai toujours été impatiente !

Tout ce que je voulais, c'était rentrer chez moi, tout simplement et le plus vite possible.

Mais il fallait attendre, mes parents habitaient loin. J'aurais voulu que les choses aillent plus vite encore. J'étais vraiment contente !

## 7

# LE « GRAND » RETOUR

J'étais assise devant un « choco » et une gaufre. Il n'y avait pas grand-chose au distributeur de la gendarmerie, ils avaient choisi le plus bourratif.

« Je te présente le juge d'instruction en charge de l'affaire. »

Je regardais cet homme avec étonnement. C'est quoi un juge d'instruction ? En charge de l'affaire ? Quelle affaire ? J'étais perdue.

« Vous êtes juge d'instruction ?

— Oui ! »

Je me suis retournée vers un enquêteur.

« Hé, il a une chemise Hawaï ! »

Je ne m'attendais pas à voir un juge d'instruction, surtout en chemise bariolée ! Le juge Connerotte était habillé comme s'il rentrait de vacances. Personne n'espérait me retrouver vivante au bout de deux mois et demi de disparition. Les enquêteurs me regardaient comme si je sortais d'une boîte à surprise !

Je ne pouvais pas comprendre le pourquoi de leur étonnement. Il y avait des avis de recherche avec ma photo et celle de mon vélo dans toute la Belgique, et je n'en savais rien. Je n'avais même pas cru Laetitia lorsqu'elle m'avait dit : « On te recherche. » Et je ne l'avais toujours pas assimilé. Tout était confus. J'étais dehors, mais j'ignorais pourquoi et comment. Le scénario que l'autre salaud m'avait mis dans la tête fonctionnait toujours. Je n'étais pas dans celle de Laetitia, je ne savais pas ce qu'elle comprenait de son côté, mais comme nous avions dit « merci » toutes les deux à l'autre maniaque, avec une bise sur la joue en plus, il était urgent pour les enquêteurs de nous mettre rapidement au courant.

Je ne me souviens pas exactement des termes qu'ils ont employés, mais c'était à peu près ainsi : « Il vous a raconté des histoires. Vous vous êtes fait avoir. Ce n'est pas votre sauveur. On le soupçonnait depuis longtemps, c'est un récidiviste, il a un passé très lourd. Il est dans la cellule à côté. »

Cette phrase, « vous vous êtes fait avoir », est entrée dans ma tête comme une flèche empoisonnée. Le château de cartes s'effondrait. J'avais tout « gobé », persuadée que ce sadique ne mentait pas. Il m'avait collé la peur au ventre pour moi, pour mes parents, il m'avait fait « ça » simplement pour me faire du mal ?

Encore une fois, ma réaction les a étonnés.

« Ah oui ? Il est dans une cellule à côté ? Je veux le voir, moi ! Lui dire ce que j'en pense !

— Non, non, reste tranquille !

— Je l'ai cru comme une idiote. Je lui ai même dit merci, à ce sale type ! »

C'était le pire. Si j'avais pu faire un retour en arrière sur l'événement, j'aurais effacé ce « merci » imbécile.

J'étais furieuse, prête à foncer sur lui, si les policiers m'avaient laissée faire. Et je l'aurais traité de « connard », c'est sûr.

Si j'avais pu lui dire, à ce moment-là : « Tu t'es bien foutu de ma gueule, mais tu vas voir ! Maintenant, c'est toi qui vas pourrir en tôle, t'es content ? », j'aurais été soulagée. J'étais en forme, certainement un peu trop, et débordée par les événements. Je n'avais que douze ans, et un « mauvais caractère ». Et je réagissais comme si une copine de l'école m'avait joué un mauvais tour. Je voulais insulter ce sadique, lui dire son fait, régler cette histoire moi-même !

J'étais en rage et euphorique en même temps. Je ne savais pas si je devais rire ou pleurer. Tout se bousculait dans ma tête. Je pensais en même temps à ce que j'allais faire les jours suivants, à la maison, aux parents, à l'école qui reprenait deux semaines plus tard. Je rentrais chez moi, c'était formidable. Mais les parents, la famille ? Ils allaient arriver !

« Qu'est-ce qu'ils vont dire ? Qu'est-ce que je vais leur raconter ? »

J'avais déjà tout expliqué dans mes lettres, est-ce qu'ils les avaient reçues ?

Il m'est difficile, des années plus tard, de décortiquer les sentiments qui m'agitaient alors. Culpabilité, honte de ce que j'avais dû supporter, colère, bonheur d'être dehors... il devait y avoir un mélange infernal qui m'empêchait de faire le point. Je réagissais comme je pouvais à toutes ces contradictions, instinctivement.

Les enquêteurs m'ont dit :

« Ne t'inquiète pas, ne te pose pas de questions. Tu verras bien quand ils arriveront. »

Et ils m'ont annoncé à ce moment-là que mon père venait tout seul.

« Où elle est, maman ?

— Ton père n'a pas voulu qu'elle vienne. Il ne savait pas dans quel état tu serais, donc il l'a laissée à la maison. »

Je n'étais pas contente de ça. On m'annonce que je vais retrouver mes parents, j'en retrouve un sur les deux, parce qu'on se préoccupe de mon état ? Mais on s'en fout de mon état, elle devrait être contente de me voir ! Pourquoi il l'a laissée plantée à la maison ?

En plus, ils me croyaient tous folle, ou malade, on me proposait un médecin ! On laissait maman à la maison !

Quand mon père est arrivé, j'avais envie de râler après lui d'être là tout seul, mais en réalité j'ai dit que j'étais contente, que je venais de manger, que c'était super, et qu'il était temps de partir parce que j'en avais marre. Et lui me soûlait de questions. On ne s'entendait même plus parler, car tout le monde discutait en même temps, lui, moi, les enquêteurs...

Je ressentais de l'émotion. J'ai pleuré en lui tombant dans les bras. Je voulais partir. Tout ce cirque m'embêtait. J'étais dehors, le reste, je m'en fichais. Il m'a donné mes vêtements. Je suis allée avec une assistante sociale aux toilettes, me décrasser un peu le visage et m'habiller. Laetitia a fait pareil de son côté. Elle a retrouvé ses parents. La vie « normale » reprenait son cours pour chacune de nous.

Après quoi, j'ai tiré mon père par la manche.

« Bon, on y va, on rentre, moi je reste pas ici. »

Mais un enquêteur avait reçu un appel disant que ma mère arrivait en voiture avec une de ses collègues de travail, elle voulait tellement venir qu'elle n'avait écouté personne. J'étais bien contente quand elle est arrivée, mais la saturation est arrivée très vite. En fait, dans le bureau de la gendarmerie de Charleroi, j'étouffais déjà. J'aurais voulu partir en courant. Et maman m'est tombée dessus :

« Ça va ? Comment tu te sens ? On était mal ! On t'a tellement cherchée !

— Moi, je pensais pas que vous me cherchiez. J'étais là-bas, toute seule, j'avais aucun signe de vie. »

Je ne sais même plus ce qu'elle me demandait. C'était toujours : « Ça va ? — Oui, ça va. »

J'étais entière, c'était l'essentiel. Peut-être pas en pleine forme, mais rien de grave... que répondre d'autre à part « ça va » ?

Je pensais : « On rentre, on n'en parle plus, qu'on

me foute la paix au moins ce soir, je veux dormir dans mon vrai lit. »

Avec le recul, je suppose que tout le monde s'attendait à retrouver une loque, une pauvre petite fille apeurée, et en larmes. Mais j'avais assez pleuré dans ce trou à rat, et suffisamment souffert de l'enfermement. Les adultes voyaient les choses différemment. J'étais l'une des victimes d'un sadique d'envergure. Ils ne voyaient que ça : les sévices. Et moi, je ne voulais plus y penser. J'avais échappé à la mort, j'étais vivante... Plus jamais peur et plus jamais mal, voilà ce que je me disais. Et vite, vite, retrouver mes marques, mon lit, mes nounours, mes habitudes.

Nous sommes repartis à trois, avec un des enquêteurs de Tournai, dans une voiture de gendarmerie banalisée. En arrivant à l'échangeur de Tournai Kain, ce fameux pont sous lequel j'étais passée le matin du 28 mai en allant à l'école, j'ai vu une banderole : « Bienvenue ». Les habitants avaient eu le temps de la fabriquer. La nouvelle de ma libération avait fait le tour du quartier comme une traînée de poudre, et je ne m'y attendais pas. Une foule de gens à pied se dirigeait vers la résidence où j'habitais. L'entrée était bloquée. Des voitures partout. C'était la grande fête, ils brûlaient toutes les affiches des avis de recherche. J'étais déjà angoissée et énervée, ce remue-ménage me faisait un peu peur. La voiture de gendarmerie n'avançait pas dans la foule des habitants, des journalistes avec leurs camions et leurs paraboles.

Je ne voyais même pas la façade de briques rouges de ma maison. L'étouffement me reprenait à la gorge. Je n'aime pas la foule. Depuis toujours, je m'y sens prisonnière. C'était ahurissant pour moi ce déferlement d'enthousiasme. J'ai simplement demandé :

« C'est quoi ? C'est qui tous ces gens ?

— Ça fait quatre-vingts jours qu'on te cherche, c'est normal qu'on fasse une fête ! »

J'ignorais que tous ces gens savaient que j'avais disparu. Qu'ils m'avaient cherchée sans relâche, avaient organisé des battues, sondé le fleuve, que les gendarmes avaient survolé la région en hélicoptère. Une cellule spéciale était chargée des enquêtes sur les disparitions d'enfants en Belgique. Julie et Melissa, huit ans, An et Eefje, dix-sept et dix-neuf ans, et d'autres. Je ne savais rien du retentissement énorme qu'avait pris l'arrestation du Monstre de la Belgique. Des parents recherchaient leurs enfants, j'avais moi-même aperçu les affiches de Julie et Melissa chez une copine avant de disparaître. Un comble ! Et ils m'avaient cherchée, tous, et j'étais vivante !

Une véritable psychose régnait, et elle allait empirer après l'arrestation de « l'homme le plus haï de Belgique ». Elle allait enfler, bouleverser un pays, provoquer des conflits politiques, des démissions, des mises à l'écart de certains enquêteurs, du juge que je venais de rencontrer dans sa chemise Hawaï, de Michel Demoulin lui-même, mon sauveur ! J'allais me retrouver des années plus tard au sein d'une polémique gigantesque. Le témoin survivant des méfaits d'un psychopathe lâche et menteur qui hanterait l'esprit de milliers de gens, et remplirait des kilomètres de papier journal.

Je ne connaissais que mon histoire, et à peine celle de Laetitia. C'est toujours le cas.

Je me sentais coupable d'avoir demandé une « copine ». Longtemps, je me suis dit que j'étais à mettre dans le même sac que ce salaud, même en sachant que logiquement ce n'est pas de ma faute. C'est lui qui l'a traumatisée, pas moi. Mais j'étais stupide de ne pas imaginer qu'il allait faire la même chose avec elle. J'en avais tellement marre d'être enfermée avec lui, marre de la chambre du calvaire, d'être prisonnière au fond d'un trou, que je n'ai même pas calculé une minute qu'il allait faire une chose pareille.

J'ai dit aux enquêteurs que c'était moi qui l'avais demandé. Mais ils ont bien vu à ma tête que j'étais tellement bien manipulée que je n'arrivais même pas à me sentir coupable sur le moment. Pourtant, cette culpabilité me tournait dans la tête. J'ai essayé de m'en défaire en me disant : d'accord, c'est moi qui l'ai demandé, mais c'est lui qui lui a fait du mal, et si je ne l'avais pas « réclamée », je serais morte, et il n'aurait pas été arrêté ! Mais je ne m'en déferai jamais complètement. Laetitia le sait. Mais je pense vraiment qu'elle m'en veut, bien qu'elle ne me l'ait jamais dit, peut-être pour ne pas me faire de mal. Elle sait que moi aussi j'ai un gros sac à porter... ou alors elle ne m'en veut pas, et j'espère que c'est le cas. Nous en avons parlé toutes les deux, au moment du procès. J'étais désolée, mais, si ce n'avait pas été elle, il en aurait trouvé une autre. Et finalement Laetitia nous a sauvées toutes les deux.

En rentrant chez moi, je ne définissais pas la chose aussi clairement, mais ce sentiment de culpabilité était déjà là, et il allait falloir que je vive avec, en plus du reste.

C'était étrange, cette ambiance de fête dans le quartier. Moi, je sortais d'un trou à rat, où ce salaud m'avait lavé le cerveau avec son histoire de rançon, de mort, de parents qui s'en fichaient… Et je me retrouvais au milieu d'une foule qui m'avait cherchée pendant tout ce temps ! Je n'arrivais pas à connecter les deux images. J'avais cru le salaud, et je m'en voulais. C'était la seule chose que j'avais parfaitement enregistrée à ce moment-là.

Un policier m'a portée dans ses bras au-dessus des rosiers de la maison. J'ai dit bonjour à plein de gens, sans même savoir qui ils étaient. Et lorsque j'ai ajouté : « Vous m'avez manqué », qui a été souvent repris par les médias, ce n'était pas adressé à quelqu'un en particulier. C'était général. La vie m'avait manqué.

En arrivant devant ma porte, j'ai reconnu mes copines du quartier. Ma sœur m'a rattrapée au vol, des bras du policier. J'entendais des voix, des cris de joie, un flot de paroles, mais sur le pas de la porte ma grand-mère m'attendait. Ma Bonne Maman. Elle m'a chuchoté dans le creux de l'oreille, comme un petit souffle de bonheur, rien que pour moi :

« Je suis contente de te voir. »

J'étais plus émotionnée dans ses bras que lorsque mon père était arrivé à la gendarmerie de Charleroi. Bonne Maman, c'était ma solidité, la certitude d'être aimée sans condition.

La maison étaient pleine de toute la famille. Si pleine que je n'ai même pas pu m'asseoir sur le divan, il n'y avait plus de place. Je me suis assise à terre, près de la table du salon. Je demandais des nouvelles de tout le monde, j'essayais déjà de zapper, de couper même, comme on coupe au montage d'un film, tout ce qui me concernait. Même à la famille je n'avais pas à « raconter ». S'ils l'ont lu dans la presse ensuite, ça m'est égal.

Je suis montée dans la chambre que j'occupais alors avec une de mes sœurs. Je suis allée voir mes nounours. Comme il y avait encore tous ces gens devant chez moi en train de faire la fête et de brûler les affiches, j'ai regardé par la fenêtre de la salle de bains, en soulevant légèrement le rideau, sans allumer. J'ai fait un petit signe à la foule, et ils ont tous applaudi comme des fous. Alors là, j'ai fondu en larmes toute seule.

C'était vraiment fou de voir tous ces gens applaudir, alors qu'ils ne me voyaient presque pas. Juste une ombre à la fenêtre. Ça faisait peur. C'était trop.

Je suis restée longtemps dans la baignoire avant de

me coucher. Je sentais bon en sortant de là, c'était le bonheur. J'avais enfin la paix, et j'étais bien décidée à la garder. J'ai ouvert ma garde-robe, regardé mes habits, j'ai vérifié que mes coussins étaient là, tout était en place. La chambre de mes parents, celle de mon autre sœur. Dans le salon, j'ai vu des objets nouveaux, des lampes, des coussins. Ils les avaient achetés pendant mon absence. C'est un drôle de sentiment. Je ne l'ai pas vraiment analysé à douze ans, ça m'a simplement choquée.

« Tiens, ils ont acheté tout ça pendant que j'étais dans mon trou à rat... »

Les premiers jours, j'avais peur de sortir et d'aller voir les copains. Peur du regard et des questions. Pour finir, rien de tout cela ne s'est produit, pas de questions. Ils n'étaient pas bêtes, même s'ils étaient jeunes. À la rigueur, les copains ont mieux compris ce que je ressentais que certaines grandes personnes de mon entourage.

J'avais eu un choc en lisant la presse avec le portrait de Laetitia et le mien, les gros titres : « Enfin libérées ! » « Vivantes ! » Il y avait aussi le rappel de tout ce qui avait été entrepris pour me retrouver. Alors que je doutais de mes parents, sans le leur dire dans mes lettres, que je subissais ce salaud en croyant à tout ce qu'il racontait. Je me sentais tellement stupide, si humiliée d'avoir marché dans son scénario à trois francs !

Le 16 août, c'était le défilé à la maison. Beaucoup de gens venaient me faire des cadeaux, m'apporter des fleurs, un feu d'artifice était organisé dans la résidence par tout le quartier. J'étais contente, ils me faisaient plaisir, mais j'étais encore enfermée et cernée par : « Ça va ? — Oui, ça va ! »

Le 17 août au matin, les enquêteurs sont venus enregistrer ma déposition à la maison. Dans la même soirée, on apprenait au journal télévisé la découverte des corps de Julie et Melissa dans le jardin de l'une des maisons de ce salaud, à Sars-la-Buissière. Les deux petites filles de huit ans disparues depuis le mois de juin 1995.

Les images montraient carrément les fouilles avec la pelleteuse et les trous dans la pelouse. Je n'étais pas passée loin. Ça aurait pu être moi dans ce jardin. Et Laetitia à plus long terme.

J'avais absolument besoin de me couper de tout ça. De cette peur de la mort qui avait pesé sur moi pendant plus de deux mois. Cette réalité, ces images cruelles me ramenaient dans la cache, mon moral dégringolait de plusieurs échelons et je ne voulais pas retomber dans ce trou.

Le matin, j'avais trouvé dur de répondre aux enquêteurs. Je n'avais pas encore eu le temps de respirer vraiment. Mais il le fallait avant que je n'oublie trop de choses. Par moments, j'étais gênée de répondre aux questions. Ils le voyaient bien, alors ils prenaient leur temps.

« Si tu en as marre, dis-le, on fait une petite pause, et on recommence. On n'est pas là pour t'embêter, mais parce qu'on en a besoin. Dis-toi que tu ne dois pas être gênée, ce n'est pas de ta faute et plus tu nous en diras, plus ça servira. »

L'autre, le salaud, était en plein interrogatoire, je n'allais pas lui laisser raconter encore des histoires. J'avais parfaitement compris que je devais tout dire avant d'oublier les détails importants pour les enquêteurs. Ces gens avaient « chopé » le monstre, ils nous avaient sorties de ses griffes, je leur faisais entièrement confiance. À eux je pouvais et je devais parler. À personne d'autre. Je ne voulais pas voir de médecin, mais j'ai dû accepter quand même. Pour l'enquête.

Mais le soir, devant ces images, c'était trop. Dès le lendemain, j'avais besoin de fuir, d'aller voir ma copine d'à côté ou de me réfugier tout bêtement dans ma cabane, de profiter des quelques jours de vacances qui me restaient avant de retourner à l'école. Je devais parfois taper un peu du poing sur la table pour aller chez ma copine. J'avais trois mètres à franchir pour aller chez elle.

« Ne sors pas, fais attention.

— Bon, ça va, qu'est-ce que tu veux qu'il m'arrive de plus ! Il fait jour, y a du monde dans la résidence, il fait beau, y en a un qui tond sa pelouse… je veux sortir. »

Je n'avais plus peur du monde, je voulais retrouver

ma vie d'avant. Les habitants du quartier m'avaient offert un vélo, je voulais le prendre pour aller à l'école, mais bien sûr c'était non.

« Non, tu n'iras pas toute seule à l'école ! Pas tout de suite !

— Je ne vais pas m'empêcher d'aller à l'école à vélo parce que c'est arrivé ! Si ça recommence, c'est que vraiment je n'ai pas de chance ! »

J'ai été un peu plus méfiante au début. Quand quelqu'un marchait derrière moi, j'avais l'impression qu'il me suivait, qu'il allait au même endroit que moi. Je voulais voir sa tête. Il pouvait s'agir tout bêtement de quelqu'un du quartier qui allait à la boulangerie, mais je me disais qu'il valait mieux enregistrer son visage, au cas où. J'étais bonne observatrice, j'avais pu parfaitement décrire, par exemple, les détails de l'enlèvement, le gringalet à la casquette, son blouson. La description de la maison, des pièces, tout ce que j'avais remarqué ou entendu était gravé dans ma tête. J'ai une bonne mémoire, celle des détails.

Avant cela, déjà, je retenais facilement les numéros de plaques de voiture, de téléphone, c'était un jeu inconscient. Après, si je voyais une camionnette par exemple, je regardais directement la plaque, même si elle n'avait rien de louche, même si c'était celle du marchand de glaces. Je faisais un peu plus attention, mais sans plus. Je voulais une vie normale, il ne fallait pas non plus que je devienne complètement paranoïaque.

Je n'allais pas courir après toutes les gamines pour leur dire de faire attention, et les prévenir… de quoi ?

On a toujours tendance à croire que ça n'arrive qu'aux autres, mais ça arrive à tout le monde. Ça peut arriver au coin de la rue. Une petite Loubna par exemple, qui allait simplement faire des courses en passant au coin de la pompe à essence ! Qui pouvait dire qu'un salaud allait la kidnapper dans cette pompe à essence ? Qu'on ne la retrouverait que des années plus tard ? Personne. Rien ne peut mettre un enfant à l'abri d'un salaud ! Moi, j'allais bêtement à l'école. J'y suis jamais arrivée ? Qui pouvait me prévenir de ça ? Personne. Je ne sais plus quand je suis retournée toute seule à l'école à vélo, mais je l'ai voulu assez vite. Et si ma sœur m'accompagnait, c'était déjà le cas « avant ». Il m'arrivait de partir avant elle et elle me rejoignait sur la route.

Mais chez moi, on me surprotégeait tout à coup, maman surtout. Et je le supportais mal.

Tous les habitants de la résidence avaient peur, leurs gosses ne sortaient plus ! Je ne voulais pas d'une psychose dans la famille. Je ne voulais rien raconter, ni que maman lise les lettres que j'avais écrites au fond de cette cache. Les enquêteurs oui, le juge oui, au procès plus tard oui. Mais elle ne comprenait pas.

« Après tout, tu les as écrites pour moi ! J'ai le droit de les lire ! »

Je voulais oublier, me reconstruire à mon idée, et surtout ne pas replonger quotidiennement dans cette histoire. Mais c'était difficile au début. J'ai vu le médecin une fois, pour une histoire de prélèvements, ou quelque chose de ce genre, parce que le juge l'avait « ordonné », mais j'étais contre. Quelques jours après, quelqu'un est venu me prendre des cheveux, toujours pour des analyses. Il devait contrôler la trace des somnifères et autres saletés que l'autre m'avait fait avaler. Mais la dose avait été tellement faible que ça ne pouvait pas m'avoir rendue dingue, comme certains l'ont prétendu plus tard, et il a fallu que cet homme vienne témoigner au procès, dire qu'il n'y avait pas de quoi fouetter un chat !

Le bourgmestre était venu me rendre visite à la maison. J'en avais profité pour lui demander d'installer de l'éclairage public dans cette fameuse rue du stade où j'avais été enlevée. Beaucoup d'enfants passaient par là le matin et le soir. Deux ou trois semaines après, il y avait de la lumière. Il avait fallu que ça m'arrive pour ça !

Pour le deuxième interrogatoire, j'ai retrouvé l'enquêteur Michel. C'était lui qui avait obtenu les aveux du monstre. Lui qui l'avait cuisiné. Il a dû m'expliquer certaines choses à l'époque, que j'ai rapidement oubliées, puisque je voulais tout oublier. Sauf qu'il était mon véritable « sauveur ». Ce n'est qu'après le procès, lorsque nous nous sommes retrouvés, qu'il m'a un peu raconté sa méthode pour obtenir des aveux : ce nul était tellement prétentieux que Michel l'a eu à la vanité, justement. Il le cuisinait depuis un bon moment. Son complice, un drogué, l'avait déjà balancé, l'imbécile était donc coincé. Michel m'a dit qu'à un moment il était « à point », alors il l'a flatté en lui disant que sans son « aide » il ne s'en sortirait jamais, que l'autre l'accusait. Et il a « senti » à cet instant que le monstre allait lâcher quelque chose, lui faire une sorte de « cadeau », histoire de « dominer » encore la situation. On l'interrogeait sur l'enlèvement de Laetitia qu'il ne pouvait pas nier puisqu'il y avait des témoins. Et tout à coup il a annoncé, l'air grand seigneur :

« Je vais vous donner deux filles ! »

Michel m'a dit :

« J'étais étonné, nous recherchions Laetitia, pourquoi disait-il “deux” ? Alors je me suis retourné, il y avait une photo de toi dans le local où je l'interrogeais. J'ai demandé si c'était toi, il a répondu que oui, et que Laetitia n'était pas toute seule, qu'il allait nous donner les clés de sa maison à Marcinelle, et qu'il allait nous montrer lui-même où il vous cachait. »

Je suppose qu'il a dû leur expliquer, ce vantard, qu'il était le seul à pouvoir nous faire sortir de son trou à rat parce que nous aurions peur s'il n'était pas là... puisque ses victimes fonctionnaient à sa « voix » !

J'ai attendu des années avant de revoir Michel, parce que je me tenais volontairement à l'écart de cette gigantesque affaire, qui prenait des proportions insensées. Il avait été dessaisi de l'enquête en cours de route, je trouvais cela désolant. J'admire cet homme, son travail, son impartialité et sa rigueur. Il est de ceux qui considèrent ce salaud comme un psychopathe vaniteux, et un manipulateur. Il n'est pas entré dans son jeu, mais s'en est servi. Le monstre n'est pas, comme il tente de le faire croire, le pauvre chaînon d'un soi-disant réseau dont les responsables ne seraient pas moins que les plus hauts responsables du pays. Il ment comme il respire, il avance des théories aussi minables que lui, et j'espère qu'il s'étouffera lentement avec. Quand je pense qu'il a des enfants, que sa femme a été complice, qu'elle a attendu des années avant de l'avouer, alors que des petites filles mouraient dans la solitude, que d'autres étaient enterrées dans son jardin ! Ces gens ne sont pas des gens. Je ne sais pas ce que c'est. Il s'appelle Marc Dutroux, elle s'appelle Michèle Martin, mais pour moi ils sont innommables.

Ce salaud exerçait depuis les années 1980. Il avait été condamné à treize ans de prison pour viols et divers autres méfaits, mais libéré le 8 avril 1992 pour « bonne conduite » alors que le psychologue de la prison et le procureur étaient contre...

Et il s'était juré de recommencer, cette fois sans se faire prendre. Il l'a fait durant quatre ans, avec l'aide de cette femme, et d'un drogué complètement paumé. Pour les spécialistes, il s'appelle officiellement « psychopathe ».

Je ne savais pas ce que c'était à douze ans, et même à vingt ans je ne comprends toujours pas comment ça fonctionne, un psychopathe. Tout ce que je sais, c'est que je voulais le regarder en face, les yeux dans les yeux, un jour ou l'autre. On m'en avait empêchée à douze ans, pour me protéger je suppose. J'ai dû attendre huit années pour pouvoir le faire.

Et c'est lui, le « connard », qui a baissé les yeux.

# 8

# PETITE THÉRAPIE PERSONNELLE

Le juge d'instruction voulait que je consulte un psychologue, je me souviens donc vaguement de dessins bizarres supposés me faire réagir. C'était ridicule, je n'avais rien à dire. Et par la suite j'ai dit non. Je ne voulais pas en parler. Oui, ça s'était passé, oui, je ne ferai jamais une croix dessus... Point. Ça ne me servirait à rien d'aller le répéter pendant des années. C'était fait, je ne pouvais rien y changer. Ma tête n'était pas vide, mais, si j'avais laissé quelqu'un y fouiller, je serais probablement devenue folle à coups de « pourquoi » et de « comment ».

On me croyait malade. J'étais sûrement choquée, mais pas malade. On a dit de moi : « Elle a les pieds sur terre. » Peut-être un peu trop de temps en temps. Mais c'est ainsi. Je voulais retourner à l'école normalement. On ne peut pas guérir de ce genre de chose, mieux vaut s'y faire et s'en débrouiller toute seule. Et personne n'a compris ça.

Je voulais une barricade. Mon avocat est le seul à l'avoir admis. Pourtant, à cette époque-là, ce n'est pas moi qui allais le voir puisque j'étais mineure. Mes parents et mes sœurs sont allés consulter un psychologue, longtemps, des années. C'étaient eux, je pense, qui en avaient le plus besoin.

Je ne pouvais pas leur parler, je n'avais d'ailleurs personne à qui me confier. Les amies de mon âge n'auraient pas compris. Mes amies du moment avaient encore la mentalité de filles de douze ans. Moi, j'étais une fille de douze ans avec la mentalité d'une plus grande, j'avais déjà dix-huit ans dans ma tête. Il ne me fallait personne. Je devais faire le travail moi-même.

J'ai fait une thérapie à moi toute seule. Chaque fois que des images me traversaient l'esprit, j'essayais de zapper et de penser à autre chose, et je continue. Je ne suis pas narcissique, mais, souvent, en me brossant les cheveux devant la glace, ou en me maquillant, je parle. Parfois à voix haute, parfois en silence s'il y a une présence dans la maison. Je m'adresse à moi comme si quelqu'un d'autre était en face, et je me réponds. Si j'ai un coup de cafard, je m'en arrange toute seule. Avec le recul des huit ans qui ont passé, je me dis que le cafard ne sert à rien. La culpabilité non plus. Il faut se détacher, se dire que ce qui est déjà arrivé n'arrivera plus ; enfin, j'espère.

« Tu t'en es bien sortie, et ce n'est pas le moment de perdre pied. »

Au début, tout ce qui m'intéressait, c'était la paix. J'étais dans ma bulle et je commençais déjà à me fabriquer une armure. Je ne voulais pas de questions, ni donner de réponses. Lorsqu'il y avait un reportage à la télévision, je refusais de le voir, je prétendais que ça ne m'intéressait pas, et si j'avais envie de lire le journal à 3 heures du matin, ou de regarder ce que je n'avais pas vu, je le faisais en cachette. C'était le meilleur moyen pour que les autres ne m'interrogent pas sur le reportage ou la réalité des faits passés. J'ai eu la chance que de bonnes âmes me fassent cadeau d'une indépendance dont j'avais bien besoin. Une chambre pour moi seule, installée dans le grenier de la maison, avec une télévision et tout ce qu'il me fallait. Je pouvais m'isoler, regarder « ma » télé toute seule, penser ce que je voulais, pleurer ou rire si je le voulais, et ne rien dire si je le voulais, j'avais la paix. Et quand on me demandait : « T'as vu le journal ? », je répondais : « Non, pourquoi ? Je regardais un film à la télé. » C'était parfois vrai.

C'était un peu difficile, tout au début, de me préserver. Entre le 15 et le 17 août, il y a eu la découverte des corps de Julie et Melissa. J'ai appris qu'elles étaient mortes pendant que ce salaud était en prison, que sa femme supposée leur apporter de l'eau et de la nourriture avait eu « peur » de soulever la porte de la cache, que Julie avait écrit son nom sur l'un des murs, où j'avais moi-même étouffé. Mais il était presque effacé, et je ne l'avais jamais décelé. Le monstre, à sa sortie de prison, n'avait trouvé qu'une chose à faire : les enterrer dans son jardin.

Le 3 septembre, l'enquête a révélé deux autres décès. Les corps d'An et Eefje étaient retrouvés près d'un chalet appartenant à son complice de magouille, et le corps du complice également. Elles ont été enterrées endormies, mais vivantes, le complice aussi.

Chaque fois, je me voyais prendre la suite. Où m'aurait-on retrouvée ? Dans quel jardin ?

Même au procès, je n'ai pas voulu entendre cette partie des débats. J'avais survécu et c'était difficile pour les autres parents de me voir debout, les pieds sur terre. Être la survivante d'un massacre, ce n'est pas facile à vivre non plus.

En même temps, j'avais à la maison la pression de cet étouffement perpétuel : « Ne sors pas sans ta sœur, ne va pas au magasin toute seule, tu ne retourneras pas tout de suite à l'école à vélo... » Je n'en pouvais plus, j'avais envie de crier : « Fichez-moi la paix, arrêtez d'en parler tout le temps à la télé, arrêtez de me soûler avec ça, de balancer des gros titres dans les journaux ! Laissez-moi aller à l'école, vivre ma vie, que les adultes se débrouillent avec le monstre et les enquêtes ! »

Malheureusement pour moi, on n'entendait ou ne lisait que ça tous les jours.

À l'école, c'était parfait. Ils n'ont posé aucune question parce que le directeur leur a fait un petit discours et qu'il était venu me voir avant la rentrée.

Il m'avait demandé :

« Quand comptes-tu reprendre l'école ? »

J'avais répondu :

« Le 1er ou le 4 septembre, à la rentrée.

— Tu es sûre ? Tu ne veux pas d'autres jours pour rester chez toi ? Tu n'as pas eu de vacances.

— Non, parce que ce serait faire une différence d'arriver plus tard que les autres. »

J'avais déjà peur que les gens me dévisagent, si j'arrivais en plein milieu d'année. J'aurais eu l'air de la nouvelle qui débarque de je ne sais où.

J'ai su que je passais en deuxième année alors que je pensais rester en première... J'étais contente. Et je n'ai eu aucun problème. Les enfants sont plus respectueux entre eux des histoires des autres. Dans leur monde, c'est plus simple. On ne parle pas des choses qui embêtent. Ils en entendaient suffisamment parler au-dehors, par les journaux, les parents et la télé. Et ils ont bien vu que je voulais vivre ma vie et me détacher de cette histoire. Ma classe avait tout de même voulu faire une fête à la fin août et j'avais refusé. Je comprenais pourquoi ils voulaient faire cette fête. Eux aussi m'avaient cherchée. Ils m'ont offert une affiche de disparition sur laquelle toute la classe avait signé. Ils étaient contents que je revienne. Mais je ne considérais pas mon retour à l'école comme une fête. Je ne voulais pas voir de monde. De toute façon, nous allions passer l'année ensemble, ils me verraient à longueur de journée ; s'ils voulaient me parler de ce qui s'était passé pendant mon absence, ils auraient toujours le temps de le faire. Ils étaient rassurés maintenant, je n'étais pas rentrée couverte de cicatrices ou de balafres, j'étais vivante et entière. Certains m'ont dit :

« C'est bête, on t'a cherchée, et t'étais pas si loin finalement ?

— Oui, c'est rageant, mais, que veux-tu, ça s'est passé comme ça. »

Je n'allais pas commencer à leur expliquer la maison, le trou à rat et le reste. S'ils ont eu des détails, c'était dans la presse. En tout cas, ils ne m'ont rien demandé, même s'ils savaient tout. Les professeurs non plus n'ont rien demandé.

Les premiers temps, des journalistes venaient filmer devant chez moi, mais je ne sortais jamais. Mon père leur répondait. Ils ont compris très vite que nous voulions vivre dans la discrétion car notre avocat a immédiatement mis les choses au point. C'était clair : « Foutez-leur la paix. » Mais un jour, j'étais devant la maison avec mon chien, en train de balayer la neige. J'ai aperçu, à environ trois mètres de moi, quelqu'un avec une caméra. Je ne m'en suis pas préoccupée outre mesure, je me demandais bien quel intérêt il trouvait à filmer une gamine poussant un balai dans la neige !

Le soir, j'ai vu les images sur la chaîne régionale, et j'ai éclaté de rire. On voyait surtout mon chien mettre son nez à la porte entrouverte. Il y avait un peu de vent et comme Sam est un peu cocker un peu raté, ses petites oreilles volaient au vent. J'ai enregistré la rediffusion du journal plus tard juste pour avoir des images de mon Sam. Il était trop mignon.

Plus tard, en 1998, je ne sais même plus si c'est un prof ou un élève qui m'a annoncé :

« Il s'est évadé ! Tu n'as pas peur ? »

J'ai cru à une bonne blague au début, mais, quand j'ai vu l'hélicoptère tourner autour de l'école, je me suis dit que c'était peut-être vrai. Je ne prétends pas que je n'aie pas eu peur un moment à l'idée de le savoir dans la nature. La gendarmerie surveillait partout autour du collège, et il y avait même des hommes en faction à la maison. Quand je suis revenue de l'école, ils étaient partis, car la « grande vadrouille » était déjà finie !

J'ai lu les détails de cette tentative d'évasion ridicule dans le journal, comme tout le monde. Il était au palais de justice de Neufchâteau, pour consulter « son » dossier. Il avait assommé un gendarme, bousculé l'autre en lui prenant son arme, qui n'était même pas chargée paraît-il ! Il avait volé une voiture, une course-poursuite s'était engagée, et il avait fini par s'embourber bêtement dans un bois. C'est un garde forestier qui l'a récupéré ! Sur la photo, il a l'air d'un imbécile, la tête dans les fourrés et les bras en l'air ! Évidemment, j'ai pensé : « S'ils ne sont pas fichus de le garder mieux que ça, on n'est pas sortis d'affaire pour clôturer l'enquête ! »

J'ai entrepris de me construire une véritable barricade, alors que les médias se déchaînaient dans le pays. Mes parents avaient dit à mon avocat : « Pas de presse, elle veut la paix. » Je l'ai donc obtenue, du moins à ce niveau-là. Je n'avais pas à plonger dans le bain de l'instruction, j'étais mineure, et je n'allais pas encore voir Maître Rivière qui avait pris nos intérêts en charge. Il m'aurait téléphoné un jour en me disant : « J'ai besoin d'une précision venant de toi, et non de tes parents », je l'aurais fait. Mais il ne l'a pas demandé, parce qu'il avait tout compris. Tout ce que j'aurais pu dire se trouvait déjà dans les lettres, heureusement retrouvées en partie.

C'est ainsi que le silence s'est installé autour de moi. Pas de journalistes, pas de déclarations ou d'interviews. Seul mon père a accepté de parler au début pour un journal local, et ensuite le huis clos s'est refermé sur la famille. Il y avait bien eu quelques images de la « petite Sabine » retrouvant sa maison et sa famille, le 15 août, mais rien de plus. C'est beaucoup plus tard que les photographes ont tourné autour de moi.

Puis il y a eu l'annonce de la « marche blanche » le dimanche 20 octobre, dédiée aux enfants morts ou disparus. La maman d'Élisabeth Brichet était à l'origine de cette manifestation, il y avait les parents de Julie, ceux de Melissa et ceux d'An. Ceux d'Eefje se montraient discrets, je ne sais plus s'ils étaient présents. Élisabeth avait douze ans lorsqu'elle a disparu, le

20 décembre 1989. À l'époque de la marche blanche, personne ne savait encore ce qu'elle était devenue. Son corps n'a été retrouvé qu'en 2004, quinze ans plus tard, à la suite de l'arrestation de Fourniret, l'autre prédateur, français celui-là, mais qui recherchait aussi ses proies en Belgique. Élisabeth était enterrée dans un château du nord de la France.

Le slogan de la marche blanche était : « Plus jamais ça ». La population voulait aussi protester contre le dessaisissement du juge d'instruction Connerotte, que tout le monde trouvait efficace. Une mesure disciplinaire que l'on a appelée l'arrêt « spaghettis ». Le juge avait accepté de souper avec les familles des victimes. Je ne m'y suis retrouvée que par hasard, après avoir rendu visite à Laetitia, et je n'avais même pas adressé la parole au juge ! Quoi qu'il en soit, il avait été accusé de « partialité » pour avoir partagé des spaghettis avec les parties civiles ! On l'aimait bien, ce juge, avec sa chemise Hawaï... il faisait du bon travail. Mais le juge Langlois qui l'a remplacé n'a pas démérité, quoique certains aient pu en dire pour satisfaire leur thèse personnelle. J'étais bien trop jeune à l'époque pour comprendre les tours et détours du système judiciaire.

J'avais entendu parler de cette marche blanche, et je voulais absolument y aller. Mon avocat me l'a rappelé récemment, car je l'avais vraiment oublié.

« C'est toi qui as voulu y participer. Ce ne sont pas tes parents. Ils voulaient au contraire t'éviter ce stress, étant donné la foule et la présence de médias du monde entier. Et tu leur as répondu : “Si vous voulez m'en empêcher, vous n'avez qu'à m'enfermer à la cave !” »

Il n'y avait que deux mois que j'étais sortie d'une autre cave, mais toute ma classe participait à la marche, donc mes parents ont cédé et nous sommes allés en famille à la marche blanche, avec des copines du quartier, des voisins... Il y avait plus de trois cent mille personnes dans les rues de Bruxelles ce jour-là ! Dans mon idée, il s'agissait de rendre un hommage aux autres, celles qui étaient mortes, alors que j'étais vivante.

Finalement, j'ai regretté cette décision. J'ai étouffé rapidement tellement il y avait de monde. Une assistante du Samu me suivait de près sans arrêt :

« Tu veux un respirateur ou un cachet ? »

Je ne voulais rien, juste tenir debout. Si j'étouffais, c'était à cause de la foule, de ces gens qui, me voyant passer, m'agrippaient comme si j'étais un animal de cirque ou me regardaient bizarrement. C'était bizarre en effet. La marche était organisée à la fois pour les enfants disparus, ou morts, mais aussi pour nous, les deux rescapées. Notre position était difficile par rapport à l'émotion des autres familles. J'étais en vie, cela ne voulait pas dire que je ne souffre pas de la mort des autres. Mais tout ce monde qui criait dans tous les sens, ces gens qui venaient m'embrasser sans raison, me dévisageaient comme s'ils voyaient un fantôme, c'était effrayant. Je n'étais pas le héros de cette histoire macabre, et Laetitia non plus. Nous n'arrivions pas à progresser dans cette masse de gens. Il y avait des cars de gendarmerie, des ballons blancs, ils avaient distribué des petites casquettes en carton blanc et surtout les photos des petites filles enlevées : Julie et Melissa, An et Eefje : enterrées. Élisabeth et la petite Loubna : disparues. J'étais très mal à l'aise.

Toutes les familles devaient se rejoindre sur un podium et c'était devenu impossible. La gendarmerie a dû nous aider. Je n'en pouvais plus, alors sur ce podium j'ai prononcé trois mots au micro, la voix serrée. Le lendemain, ma photo était dans un magazine en poster géant, en train de pleurer. Je n'avais pas voulu cela, je n'étais pas venue pour me « montrer » et surtout pas pour « pleurer » en public. Pleurer est une chose privée. J'étais méfiante envers les médias. Je ne voulais plus qu'ils me photographient. Je ne m'attendais pas à être ainsi la proie des paparazzi et de tous ces gens. Me revoir en gros plan pleurant devant cette foule m'a été insupportable. Mais j'ai vite remonté la pente, et j'ai disparu définitivement aux regards des autres.

Une précaution nécessaire pour moi, mais qui a donné lieu ensuite à des supputations délirantes. « Elle ne sort plus de chez elle… » ; « Elle est très atteinte » ; « Elle ne se souvient sûrement de rien, il a dû la droguer en permanence » ; « On l'a vue à tel endroit, il l'avait donnée au réseau »…

Après ce marathon épuisant dans les rues de

Bruxelles, il fallait aller chez le Premier ministre pour participer à une table ronde. Je n'ai pas bien suivi, je discutais avec Laetitia. Le ministre parlait avec les parents, car finalement c'était une réunion d'adultes. Ce jour-là, la maman d'Élisabeth Brichet m'a donné une photo de sa fille en me confiant : « Tu lui ressembles beaucoup, elle avait douze ans elle aussi. »

J'étais gênée d'être là, en vie, devant elle. Elle cherchait sa fille depuis 1989, elle avait espéré en des dizaines de pistes qui ne menaient à rien, sans possibilité de faire son deuil, usée par l'alternance entre angoisse et espoir. Peut-être pensait-elle alors que « notre » monstre était également coupable de l'enlèvement de sa fille, et qu'un jour, enfin, il dirait la vérité. Ce n'était pas le cas, c'était Fourniret, l'autre monstre. Il n'y a pas de degré dans l'horreur avec ces psychopathes. Lui, il tuait vite, il ne torturait pas pendant des mois avant de le faire.

Quant au « nôtre », il ne disait jamais la vérité ! Ce n'était pas lui, c'étaient toujours les autres ! Julie et Melissa : « Je ne les ai pas enlevées, c'est Lelièvre ! » (Apparemment le gringalet à la casquette qui lui avait servi de complice dans mon cas.) « Ma femme les a laissées lentement mourir de faim. »

An et Eefje : « Je ne les ai pas tuées, c'est Weinstein ! Moi, je les ai endormies ! »

Weinstein : « Je ne l'ai pas tué !

Le Weinstein en question (un inconnu en ce qui me concerne) avait été retrouvé mort et enterré à côté de

Julie et Melissa. An et Eefje retrouvées à Jumet sur le terrain de la maison de Weinstein justement...

Ce n'est que l'une des versions qu'il a distillées ensuite, au cours des années d'instruction. Même si sa femme l'accusait enfin directement après des années de complicité sordide, il lui retournait le compliment en la « suppliant » de dire la vérité ! En prétendant qu'il s'était « sacrifié » pour sa famille afin de la protéger d'un réseau imaginaire.

Cette femme a été sa complice, elle n'a jamais bougé d'un cil ou d'une larme avant d'être arrêtée, alors qu'elle « savait tout » ! Et elle a des enfants ! Autre monstre au féminin...

Le jour de la marche blanche, j'ignorais tout cela, je voulais seulement soutenir ceux et celles qui avaient perdu un enfant, ceux qui venaient de les enterrer et ceux qui cherchaient encore, et je me retrouvais témoin survivant de leur malheur. Je ne pouvais pas endosser cette forme de culpabilité supplémentaire, c'était trop. Mon enfance m'avait été arrachée, je n'étais plus comme les autres petites filles du collège, innocentes, et en même temps je voulais de toutes mes forces retrouver mon anonymat parmi elles.

L'adolescence, ces années entre quinze et dix-neuf ans, a été le plus difficile à vivre. Ce n'est déjà pas le plus bel âge de la vie, mais depuis ma petite enfance la communication en famille, surtout avec maman, n'était pas la priorité. Je me sentais toujours à l'écart, je pensais souvent que mes parents n'avaient pas souhaité ma naissance, que j'étais un « accident ». Peut-être le disaient-ils pour rire, mais je le prenais au pied de la lettre. Ma mère m'avait seulement raconté que je serais née vers 3 heures et demie, 4 heures. On ne savait pas l'heure exacte car elle avait été endormie et mon père n'avait pas assisté à la césarienne. Ce flou ne me satisfaisait pas. J'ai toujours été maniaque de la précision. Dans la cache, je me défoulais sur le réveil, j'avais la folie des heures, des minutes et des secondes.

Ensuite, disait ma mère, on m'avait mise en couveuse parce que j'étais prématurée. Il paraît que j'avais beaucoup de cheveux. La transmission de l'événement s'arrêtait là.

Elle avait l'air de demander : « Qu'est-ce que tu veux que je te dise de plus ?... »

Qu'elle m'aimait par exemple. Au moins que j'avais commencé à marcher à tel âge, à parler à tel âge... Le genre de détails qui rassurent un enfant sur son existence. Au lieu de cela, j'ai vaguement retenu que je n'étais pas seule à l'origine dans le ventre de ma mère. Il y aurait eu la place pour un autre qui ne s'était pas développé. La poche était vide.

Je n'ai pas questionné ma mère sur ce sujet. On ne questionne pas sur du vide. J'ai dû sentir à l'époque qu'il ne fallait pas insister. C'était trop bizarre.

Cela n'est qu'un exemple de la distance qui s'était installée dès l'enfance entre ma mère et moi. C'est peut-être pour ça que je parle beaucoup, et que j'ai beaucoup d'amis, car j'ai mal vécu ce manque de communication. J'espère, si j'ai des enfants plus tard, ne pas faire la même erreur. Je ne vais pas leur mâcher la vie non plus, mais je m'efforcerai de répondre aux questions.

Je voulais qu'on m'aime tout simplement et sans me juger. Exister pour ma mère. Peut-être pas comme elle aimait sa fille préférée, je n'aurais pas supporté une telle emprise, mais au moins que je puisse m'en apercevoir de temps en temps... Avait-il fallu que je disparaisse pour qu'on s'occupe de moi ? Tout à coup, j'étais l'objet de toutes les attentions, au point d'en étouffer.

Je n'étais toujours pas, en tout cas, la préférée, celle à qui on caresse les cheveux le soir devant la télévision, celle qui réussit à l'école dans toutes les matières. J'étais toujours nulle en maths. Ma capacité à retenir les chiffres, les numéros de téléphone ou les plaques de voitures ne me servait à rien en cours de maths.

Je détestais la façon qu'avait ma mère de me rabaisser en permanence sur ce plan et sur bien d'autres. Mes grandes sœurs faisaient elles toujours les choses bien, j'avais l'impression que moi, non, le vilain petit canard, le garçon manqué. La tendresse maternelle n'était pas partagée, je n'avais obtenu qu'une attention relative de sa part, et rien n'avait changé finalement. Au début, on me surprotégeait, ensuite tout a recommencé comme avant.

« Ton carnet de notes ! Encore une “bulle” ! Il faut balayer ! Ce chien fait trop de poils ! »

Parfois, je me revoyais dans ce trou à rat, réfléchissant à mes échecs en maths, et à tout le reste dont je me croyais coupable. J'écrivais alors : « Je promets de... Je serai plus gentille, plus obéissante... »

Mais il suffisait que ma mère me dise à nouveau de balayer — c'était un ordre, il fallait le faire sur-le-champ —, et je revoyais cette maison sale que « l'autre » immonde m'avait demandé de laver à quatre pattes avec un vieux chiffon dégoûtant et du liquide vaisselle. J'avais fait la Cendrillon contrainte et forcée, dans des circonstances que personne ne pouvait imaginer, et je ne supportais plus ce genre d'ordre ou de contrainte. Je ne supportais plus l'autorité tout court.

De toute façon, les tâches ménagères ne m'avaient jamais emballée avant. J'étais trop petite, et j'estimais que mes grandes sœurs auraient dû en avoir la plus grande charge. Mais ma mère ne m'écoutait pas. Je me sentais réellement à l'écart des deux autres.

Enfant, je jouais avec des petites voitures, je faisais du roller, du skate-board, du foot. J'allais dormir sous la tente avec des copines. Je traînais souvent avec mon père, je faisais mon petit jardin à moi. J'adore les radis... Et j'avais mes refuges : jouer dans ma cabane ou retrouver mes copines. L'idée que ma mère ne m'avait pas écoutée passait vite en ce temps-là, je m'amusais et en rentrant je faisais un peu la tête, comme les gosses savent le faire. Et puis j'oubliais.

Mais lorsque je me suis retrouvée enfermée par ce psychopathe, j'ai repensé à toutes ces choses. En regardant mon bulletin, en comptant les jours sur mon calendrier de classe, je voyais ma mère, je l'entendais me demander : « C'est quoi, cette bulle en maths ? » Et les critiques et les reproches. Et pourtant, c'est à elle que j'écrivais, c'était elle que je voulais revoir avant tout le monde. Si par exemple « l'autre » m'avait dit : « Tu peux revoir une seule personne de ta famille », j'aurais choisi ou maman ou ma Bonne Maman. Pour finir, à l'adolescence, j'en ai conclu que tout compte fait, quand elle ne s'occupait pas de moi, c'était mieux. Le manque de communication, dans une famille, peut faire du dégât. Et s'il arrive quelque chose de plus grave, le fossé se creuse davantage.

Les deux années qui ont suivi ma libération, je n'avais pas trop mal résisté en famille.

Ensuite, les conflits ont porté surtout sur le fait que je refuse d'aller voir un psychologue. Si bien que chaque dispute, à propos de tout et n'importe quoi, s'achevait en général ainsi : « On t'avait bien dit d'aller voir un psy ! »

Pas si simple, la survie en solitaire. Si j'avais cru pouvoir me confier à ma mère le 15 août 1996, et me soulager, je l'aurais fait. En réalité, il aurait peut-être fallu qu'on m'amène Bonne Maman ce jour-là. Avant ces quatre-vingts jours de prison, je ne me rendais pas vraiment compte d'un tel manque d'affection. Il m'avait fallu l'enfermement pour le réaliser. Un sentiment de « c'est trop tard ». Il avait fallu que je survive à cet enfer pour que ça arrive. Les premières semaines, c'était bien, mais tout compte fait ce bonheur parfait n'avait guère duré, et je l'avais payé cher. Je me disais : « Avant, on ne me parlait pas dans cette famille, et maintenant que j'ai vu la mort de près, tout le monde est content de me voir et il faudrait que je parle à tout le monde. » Inconsciemment, j'ai peut-être choisi la vengeance, en ne voulant ni me confier ni laisser ma mère lire les lettres qui résumaient toute ma souffrance. Comme si je lui annonçais : « Tu n'as jamais voulu communiquer, maintenant c'est mon tour. »

Mais le plus important dans ce refus, c'est que j'avais écrit dans le désespoir de l'enfermement et la solitude, ne pensant plus la revoir, et j'estimais maintenant que cette lecture lui ferait trop de mal. À elle comme à moi, d'ailleurs. Ma mère venait d'être gravement malade, elle sortait d'un traitement anticancéreux très lourd, et je trouvais indécent de lui renvoyer mon propre malheur en pleine figure. J'en avais déjà assez honte.

Elle aurait dû comprendre que je la préservais, en me préservant moi-même. Au lieu de cela, il m'a semblé qu'elle voulait s'approprier ma souffrance, comme si elle l'avait vécue. La photocopier sur elle en quelque sorte. Et je ne comprenais pas ce genre d'attitude, parce qu'elle ne pouvait pas me prendre ma souffrance. Personne ne peut. On peut faire « semblant » de comprendre par compassion, mais on ne l'a pas vécu dans sa chair. Ma famille a souffert mais d'une façon extérieure. J'ai ressenti la même chose au procès en regardant le public qui assistait aux audiences comme au théâtre. Il y avait des gens dans la salle et d'autres dans le décor. Et ceux qui sont dans le décor ne vivent pas la même chose que ceux qui sont dans la salle.

Certaines femmes m'ont dit, trop souvent à mon goût : « Je te comprends. » Or elles ne l'ont pas vécu en direct, moi si. Et on ne peut pas comprendre ce que l'on n'a pas vécu.

Je pense que, si l'on interrogeait toutes les femmes violées, elles diraient la même chose. Je sais que maman a souffert, qu'elle a passé des nuits à ne pas dormir et à m'attendre, et qu'elle n'avait pas la santé au beau fixe, mais elle n'était pas à ma place et il y avait déjà quelque chose entre nous de perdu bien avant cela.

De la même manière, lorsque mes parents se sont séparés, leur couple était perdu depuis longtemps. Et ce n'est pas, comme l'ont dit les experts psychiatres, « à cause » de ce qui m'est arrivé. Mes parents ne peuvent pas se réfugier derrière moi pour expliquer leur divorce. Et les experts derrière leurs théories pour expliquer mon comportement.

Tout le monde insistait pour que j'aille me décharger de cette souffrance chez un psychiatre. Mais j'ai répété des centaines de fois que ça ne me servirait à rien.

« On a tout en soi, et ça reste ! »

Parler aurait été pour moi « fourguer mon malheur » simplement à quelqu'un d'autre.

Il y avait aussi, et il y a toujours, une autre composante à mon absence de l'affaire qui occupait toute la Belgique : le regard des autres.

Lorsque j'étais plus jeune, je disais : « On me regarde bizarre », et je n'aimais pas ça. C'est que malgré tous mes efforts il m'était impossible de passer inaperçue. Dans mon pays, chacun savait. Et le regard « bizarre » est le plus gênant. Soit il affiche de la pitié, ce dont je ne veux surtout pas. Soit il ne peut s'empêcher d'« imaginer ». C'est insupportable. J'avais horreur des expressions telles que : « Ma pauvre petite », ou : « Je sais ce que c'est... » Pire encore : « Viens que je t'embrasse... »

Une femme adulte a déjà tant de mal à échapper au regard de celui ou celle qui « sait ». Une enfant de mon âge, perdue comme un petit caillou dans cette saga d'horreur qui prenait des proportions nationales, politiques et médiatiques aussi énormes, n'avait guère de chances d'échapper à ces regards, à la maison comme à l'extérieur. Alors je me suis blindée contre l'extérieur. C'était dans mon caractère, et l'unique façon de tenir debout dans mon univers.

La seule personne avec laquelle je me sentais à

l'aise était Bonne Maman. C'était ma star, ma Bonne Maman. Même si je ne lui donnais pas toujours suffisamment de marques d'affection et que j'y aille moins souvent, car je ne suis pas fort démonstrative. Même si je ne lui ai jamais sauté au cou trois fois par jour, elle était davantage ma mère. Quand j'étais en primaire, et que maman travaillait le matin, j'allais chez elle pour le petit déjeuner. Elle me conduisait à l'école, je revenais à midi, et maman venait me reprendre à 16 heures, chez elle ou à l'école. Et si elle travaillait l'après-midi, c'était l'inverse, et à 16 heures je faisais mes devoirs chez Bonne Maman. Plus petite, je commençais même ma nuit chez elle, lorsque maman rentrait tard. En primaire, c'était encore facile pour Bonne Maman de m'aider pour mes devoirs. En tout cas, elle venait s'asseoir à côté de moi, elle regardait ce que j'avais à faire, sans m'asséner :

« Bon, tu vas faire ça et après ça ! Et ensuite tu feras ça ! »

Elle disait gentiment :

« Commence, et si tu as besoin d'aide, dis-le. »

Je mangeais ma tartine, je sortais mon cartable et je m'y mettais tranquillement. Et si j'avais un problème, j'appelais Bonne Maman. Si elle savait m'aider, elle le faisait volontiers. Mes parents n'ont pas vraiment fait ça, au contraire :

« Bon, allez, en quelle année tu vas les finir, ces devoirs ? Il est déjà 5 heures et demie ! »

Ma grand-mère est morte à quatre-vingt-cinq ans,

alors que j'avais quinze ans. Et à cette période je m'en suis voulu de ne pas être allée vivre chez elle, ou au moins la voir plus souvent au lieu de traîner avec les copines et les copains de mon âge. Mais ce n'était pas facile. Ma famille y allait régulièrement, on y parlait de moi, et je n'avais pas envie d'entendre. Comme j'ai choisi de ne pas aller tous les ans sur sa tombe à la Toussaint. On peut pleurer autrement que devant une tombe. Cette Bonne Maman avait de la tendresse pour moi, elle ne me jugeait pas. Si elle avait pu m'attendre, je lui aurais parlé. Elle savait écouter, cela m'aurait peut-être soulagée, et je lui aurais sûrement dit merci un jour. Mais je n'avais que quinze ans, et je l'ai « ratée ».

J'avais tellement besoin des copains et des copines de mon âge. Avec eux, je riais, je dansais, je discutais pendant des heures. Je vivais.

Vers seize ans, j'ai rencontré un garçon un peu plus âgé que moi, dans ma petite bande de copains. Je ne parlais pas de cette histoire, et personne ne l'évoquait. Pendant presque quatre ans, j'ai eu vraiment la paix, une vie comme tout le monde. Bien sûr, j'ai dû me rebeller contre les parents qui faisaient toujours barrière à mes désirs de sortie, surtout ma mère. Mais je menais vraiment une vie normale, et il n'était pas question de m'en priver.

On ne parlait plus de l'affaire à la télévision. Je n'avais même plus besoin à ce moment-là de faire une thérapie à moi toute seule : je vivais tout simplement ma vie d'adolescente. Même si, dans ma tête, je me sentais plus vieille et surtout différente des filles de mon âge, au moins je ne pensais plus à « l'autre » et, si je tombais sur un article de presse, je ne regardais même plus les détails.

Mais les rapports familiaux se sont dégradés davantage, à partir de là. Mon copain, qui n'était alors qu'un copain en tout bien tout honneur, ne plaisait pas à la famille. J'étais toujours une bonne à rien, j'avais encore des « bulles » à mon bulletin. Et je traînais avec un bon à rien.

Un jour ou l'autre, je devais tomber amoureuse comme les autres filles. J'en avais à la fois besoin et peur. Il ne fallait pas pour cela me brûler sur l'échafaud familial. C'est important, l'amour, surtout à dix-sept ans. C'est l'âge où j'ai sauté le pas. Jusque-là, on parlait, parlait à n'en plus finir, et on se chamaillait aussi comme des enfants. Il avait un caractère aussi têtu que le mien, mais le plus souvent je cédais.

Je ne lui avais pas dit encore que je l'aimais bien, même si ça se voyait comme un phare dans la nuit. Il connaissait mon histoire, comme tout le monde, mais nous n'en parlions pas souvent. C'était une « première fois » pour nous, moi pour l'amour et lui pour l'expérience.

J'ai eu le courage de justifier mes craintes la première :

« Tu dois bien te douter que c'est un dur moment dans ma vie, ça ne sera pas facile. »

D'après lui, il n'y connaissait pas grand-chose non plus... alors j'ai pu en rire :

« Impeccable, on fera les imbéciles à deux ! »

Et ça a marché. J'avais réussi à passer le cap du blocage qui menaçait d'empoisonner ma vie de jeune femme pour longtemps. Il n'y avait que l'amour pour m'offrir cette délivrance.

Ce n'était pas une histoire destinée à durer l'éternité, mais j'avais eu le tort d'y croire quelque temps, j'ai donc connu aussi mon premier chagrin d'amour. Un gros chagrin. C'était dans la logique des choses.

Au moins, c'était de l'amour du début à la fin et j'étais volontaire ! Le psychopathe, lui, n'a jamais connu l'amour. Il ne sait même pas que ça existe.

À la fin de mes études scolaires, j'avais obtenu mon certificat d'études supérieures, il n'était pas question de m'offrir de prolongations. Les finances maternelles ne le permettaient pas. J'ai donc fait mes premières armes dans la vie, assez tôt, comme beaucoup de jeunes filles de mon âge. De stages en petits boulots mal payés, j'ai tracé mon chemin jusqu'à obtenir un salaire minimum mais stable. Comme l'ambiance familiale se détériorait au point d'atteindre le stade des critiques insupportables, voire pire, j'ai finalement décidé un jour de claquer la porte, au sens bruyant et définitif du terme, en y laissant mes nounours et mes illusions, mais en emportant mon « sale caractère » pour construire une existence ailleurs. Si je n'avais pas eu ce « sale caractère », j'ignore comment j'aurais survécu. Probablement très mal.

Ça fait beaucoup de bien, finalement, de claquer une porte sur son enfance. On oublie difficilement ce qui a été dit derrière, mais l'avantage est que l'on n'y est plus enfermé.

Chaque fois qu'une tuile me tombe sur la tête, je m'efforce de penser que « ça » ne peut pas être pire que « ce » que j'ai vécu à l'âge où j'apprenais les solécismes et les verbes latins. Je pense qu'en sortant de ce trou à rat j'ai réussi peu à peu à me faire une bonne opinion de moi, en me disant : « Tu as été résistante, courageuse, tu t'es dit : "Tiens le coup, ça vaut la peine tant que tu vis, et tu es restée en vie." »

Chaque jour alors était un espoir d'être encore là le lendemain. Je me suis certainement endurcie après cette épreuve. Certains penseront que c'est mal, moi je préfère considérer que c'est un bien, et prendre la vie avec dérision. J'ai même contracté une forme d'humour noir qui choque beaucoup de gens mais me permet de rire de certaines horreurs, et même du « psychopathe le plus pervers de Belgique ». Je ne voulais pas flancher et j'ai tenu ce pari avec moi-même pendant huit ans. Je pense qu'il faut se dépasser soi-même pour donner un sens à sa vie, et surtout ne pas rater le moment pour le faire. Si je m'étais effondrée à douze ans en sortant de ses griffes, j'aurais raté ce moment crucial. À vingt ans, j'attendais le procès, autre moment crucial.

Je voulais ce face-à-face que l'on m'avait refusé à douze ans.

# 9

# «d LE MAUDIT»

Maître Rivière m'avait rencontrée deux fois lorsque j'avais douze ans. Je ne m'en souvenais plus.

J'ignorais également qu'avant cela il avait participé bénévolement aux recherches, alors qu'il n'était pas encore en charge du dossier, et pour cause. Il avait proposé aux gendarmes de patrouiller avec sa moto entre les échangeurs d'autoroutes près de la maison, pour examiner les vides sanitaires où se réfugiaient souvent des drogués et des marginaux. Lorsque j'ai atteint ma majorité, à dix-huit ans, il m'a invitée à me rendre à son cabinet pour la confirmation de son mandat. C'était à moi désormais de décider si je désirais toujours suivre la ligne que mes parents lui avaient recommandée : pas de presse, et la plus grande discrétion sur ma vie privée. Pour moi, c'était évident. Je n'étais plus une enfant. Désormais, il s'adresserait à moi directement, et me tiendrait au courant de tout, ce qui n'avait pas été le cas jusque-là. Il m'arrivait de ronger mon frein lorsque mes parents revenaient d'un rendez-vous à son cabinet sans me donner de détails. J'étais la première concernée à mon sens.

Je ne savais pas grand-chose de l'évolution de l'enquête. Et notamment qu'une théorie avait vu le jour, selon laquelle ce Dutroux, « d le maudit », ferait partie d'un grand réseau de recrutement destiné à la prostitution d'enfants et de jeunes filles, dont il ne serait que le recruteur patenté. Désormais, deux camps s'étaient constitués.

Certains croyaient fermement que l'enquête avait été désastreuse, voire sabotée, et que « d le maudit » avait bénéficié pendant des années de « protections » haut placées. Il avait en effet mis en cause, outre le gringalet à la casquette, le nommé Lelièvre, et sa propre femme, Michèle Martin, deux autres complices : Weinstein et Nihoul. Weinstein, un ancien braqueur sorti de prison en France, s'était installé en Belgique en 1992 dans un chalet situé à Jumet. L'endroit où ont été retrouvés les corps d'An et Eefje, droguées et enterrées vivantes.

Pour simplifier la compréhension des relations entre les deux hommes, ils volaient des voitures. « d le maudit » l'accusait de tout. C'est Weinstein qui voulait les supprimer, et lui-même n'aurait fait que les « endormir » avant que Weinstein les enterre vivantes. Ce Weinstein était mort à présent. Son corps avait été retrouvé à Sars-la-Buissière, dans le jardin de Dutroux, où se trouvaient également les deux petites filles, Julie et Melissa. Qui avait éliminé Weinstein ? Dutroux jurait qu'il n'en savait rien...

L'autre complice désigné, le nommé Nihoul, toujours vivant, était associé dans les vols de voitures, mais Dutroux affirmait que c'était à lui qu'il était censé remettre ses proies, après en avoir profité lui-même. Il prétendait également avoir construit la cache, où il enfermait les filles dans sa maison de Marcinelle, pour servir de relais avant le transfert des futures prostituées à Nihoul. Ce Nihoul, d'après les enquêteurs, était évidemment un trafiquant, mais il jurait n'avoir jamais trempé dans les activités pédophiles de son comparse.

Selon les enquêteurs de la première heure, Michel Demoulin et ses collègues, mes véritables sauveurs, cette histoire ne tenait pas debout.

Quant à moi, témoin survivant, je ne pouvais parler que de mon vécu pendant quatre-vingts jours et autant de nuits. Je n'avais jamais vu que Dutroux. Quant à Lelièvre, il avait participé à mon enlèvement, je l'avais entendu confirmer en marmonnant, sans grande conviction ni détails, le scénario du pervers, scénario selon lequel mon père aurait fait du mal à un grand chef et refusé de payer une rançon. Point. Nihoul m'était inconnu. Cette histoire de chef n'était destinée qu'à me faire peur, à me faire admettre qu'il était, lui, Dutroux, mon sauveur, afin de m'avoir entièrement sous sa domination, par la peur. J'allais mourir si je refusais d'être violée, j'allais mourir si je faisais du bruit, j'étais en sursis permanent. Mais personne n'avait réclamé de rançon à personne, bien entendu. Il s'était servi du même argument pour Laetitia, et il y avait de grandes chances qu'il ait joué le même rôle auprès des petites Julie et Melissa. Pour An et Eefje, plus grandes, ça ne pouvait pas marcher. D'une part il ne parlait pas leur langue, le néerlandais, et Eefje avait d'ailleurs tenté de s'échapper de Marcinelle à deux reprises, hélas sans résultat, par la fenêtre de toit sous laquelle il me faisait « bronzer ».

Preuve que la malheureuse n'était pas sous influence. Dutroux avait déclaré lui-même qu'à ce moment il « en avait quatre à la maison, les deux petites dans la cache, les deux grandes à l'étage », et qu'il ne s'en « sortait plus ».

Ce salaud se prenait pour un père de famille débordé ?

Au sujet de sa plus grande complice à mes yeux, sa femme, arrêtée en même temps que lui, il n'y avait aucun doute pour les enquêteurs. Elle avait avoué, elle savait tout des enlèvements, des viols et du reste, et ne l'avait pas dénoncé car elle lui était trop soumise, et avait peur de lui. Elle accusait son « grand amour » de tout ce qu'il refusait d'admettre. D'après elle, il était responsable des enlèvements, ainsi que Lelièvre, il avait éliminé Weinstein et les deux jeunes filles. Elle reconnaissait avoir eu peur de descendre dans la cache pour apporter de la nourriture aux deux plus petites lorsque Dutroux avait été incarcéré pour vol de voitures, mais elle ignorait comment elles étaient mortes, et quand !

J'ai appris tous ces détails peu à peu, d'autant plus que « d le maudit » avait changé de version.

Tout cela était si compliqué, si fumeux, qu'il était évident que Dutroux cherchait à sauver sa peau en niant les crimes, sous couvert d'un réseau imaginaire. D'autant plus que dans les années 1980, alors qu'il était emprisonné pour viols sur mineures, il s'était déjà servi de ce genre d'allégation : « Condamné à tort, et victime d'une prétendue erreur judiciaire, victime d'une machination concoctée par des gens trop dangereux pour qu'il les dénonce, etc. » Car ce maudit avait déjà purgé une peine de prison. Condamné pour viols d'enfants et de jeunes filles à treize ans d'incarcération en 1989. Mais il avait réussi, pour « bonne conduite », à sortir en avril 1992, avec obligation d'être suivi ainsi que sa femme (déjà complice des viols) par un psychiatre. Visites rapides, délivrance de Rohypnol[1] pour tout le monde, qu'il s'empresse de stocker sans l'avaler, dans le but manifeste de l'utiliser à d'autres fins. Autre détail qui a son importance, « d le maudit » avait fait la connaissance d'un détenu condamné pour vol, qui lui avait expli-

1. Anxiolytique (benzodiazépine) favorisant l'endormissement, et utilisé chez certains patients victimes notamment de bouffées délirantes...

qué comment construire une « cache » invisible en cas de perquisition. Cet homme en avait témoigné.

Mais pour d'autres, tout ce que racontait le pédophile était la preuve de l'existence d'un réseau important dont il ne serait qu'un maillon faible.

En 2003, l'échéance du procès se rapprochait. Je ne désirais qu'une chose, me tenir à l'écart de tout ce qui ne me concernait pas dans cette affaire, ce que l'on appelait les différents « volets » de l'enquête. Je voulais témoigner de ce que j'avais vécu, et subi, il ne fallait pas qu'il s'en sorte si facilement.

Mais la pression sur le témoignage que j'avais décidé d'apporter se faisait violente au sein de certains médias et des partisans du fameux réseau. On prétendait que j'avais été droguée en permanence, que je ne me souvenais probablement de rien. Que j'étais devenue là-bas une sorte de légume inconscient, et que je l'étais probablement encore...

« T'es sûre, t'as vu que lui ? »

L'air de dire : « Toi, tu crois au prédateur isolé, t'as rien compris ! »

Maître Rivière avait relevé un propos tenu par le procureur du roi à mon sujet : « ... À supposer qu'elle se souvienne de tout, le Rohypnol est en effet omniprésent dans ce dossier... »

Venant du futur ministère public, c'était inquiétant, et humiliant pour moi. Au départ, mon témoignage l'intéressait, mais comme je maintenais n'avoir vu que l'accusé pendant quatre-vingts jours dans mon trou à rat, et une fois son acolyte, personne d'autre, je l'intéressais tout à coup beaucoup moins.

Maître Rivière m'avait toujours défendue dans la presse en affirmant que je n'avais pas été droguée au-delà des trois premiers jours. C'était lui qui répondait aux journalistes, je n'avais jamais accordé d'interview. Je n'avais parlé qu'aux enquêteurs. Ma seule participation au dossier d'instruction, en dehors des premiers interrogatoires, avait consisté à refaire à vélo, avec mon gendarme « Zorro » Michel Demoulin, le trajet de la maison à l'école. C'était une reconstitution nécessaire à l'instruction, organisée sans la présence de l'accusé, heureusement.

Et je me souviens qu'on avait bien ri tous les deux, en croisant une fourgonnette marquée « Au roi du poulet »... J'ai conservé la photo prise ce jour-là par un journal régional, où il est noté que tout se passe de manière décontractée, et que j'ai un bon coup de pédale ! Mais aucun journaliste ne m'avait revue depuis que j'avais douze ans !

Cette fois, mon avocat m'a dit :

« Il faut que vous rencontriez la presse ! C'est à vous de leur expliquer que vous n'avez pas été droguée pendant quatre-vingts jours ! Et que votre mémoire est en excellent état ! »

Il a donc organisé une conférence de presse dans son cabinet avec une dizaine de journalistes de la presse écrite. J'étais un peu stressée pour cette première confrontation, même si ce n'était pas filmé.

J'affrontais des journalistes pour la première fois de ma vie. La réunion était simple, informelle, je me suis détendue rapidement, et nous avons ensuite dévoré quelques sandwichs en buvant un verre ensemble. Ils m'ont vue plaisanter, rire, j'ai même demandé à mon avocat :

« Où sont mes sandwichs au Rohypnol ? N'y touchez pas, ce sont les miens ! »

Bref, ils se sont rendu compte que j'étais normale, précise dans mes réponses à leurs questions. Je n'avais rien d'une demi-dingue, comme certains voulaient le faire croire, et si j'avais eu le moindre doute sur la présence de quelqu'un d'autre à Marcinelle, dans cette saleté de maison, je n'aurais pas manqué de m'en apercevoir et de le noter, puisque je notais tout ce que je pouvais remarquer. Et je l'aurais dit tout de suite !

Mais, comme nous disions avec mon avocat, « quand on ne sait pas, on invente ». Sous prétexte que je ne parlais pas aux journalistes, comme d'autres le faisaient beaucoup à ce moment-là, et que Maître Rivière respectait scrupuleusement le secret de l'instruction, on voulait encore laisser croire que j'étais ou droguée, ou manipulée. Cette façon de détourner à l'avance mon témoignage m'a énormément blessée. Les enquêteurs, eux, Michel Demoulin et ses collègues, des hommes que je respecte énormément, pour nous avoir libérées et pour leur conscience professionnelle, n'avaient jamais mis en doute mes dépositions. Ils m'avaient recueillie à la sortie, ils savaient bien dans quel état j'étais alors. Choquée, on le serait à moins, mais lucide au point de vouloir sauter à la gorge de ce pédophile ! Laetitia était restée six jours, dont trois dans le « gaz », comme je l'avais déclaré. En deux mois et demi de détention, il était évident que j'avais plus de souvenirs qu'elle. Mais depuis ce que la presse appelait le « séisme » déclenché par l'affaire du siècle en Belgique, il semblait que chaque citoyen avait sa petite idée sur le sujet. Les gens ne parlaient que de cela, dans la rue, les cafés, le train ou le métro. Des journalistes, des écrivains avaient déjà publié plus d'une quinzaine de livres. Mes parents avaient conservé des tonnes d'archives de presse — j'en avais moi-même entassé dans des cartons, sans avoir le courage de les trier ou de les lire. Ma propre histoire et les souvenirs qui me remontaient parfois brutalement en tête me suffisaient. Je voulais conserver la ligne de conduite nécessaire à ma reconstruction personnelle. Vivre ma vie, et ne pas m'occuper du reste, en tout cas le moins possible.

Lorsque la date du procès a été enfin fixée définitivement au 1er mars 2004, je savais que j'allais devoir replonger dans cette mare nauséabonde. La perspective du procès avait été reportée plusieurs fois, l'instruction émaillée de rebondissements, de pistes reprises et abandonnées. Quatre cent mille pages de procédure, des commissions d'enquête, la destitution du juge Connerotte, des enquêteurs écartés de l'instruction, dont Michel Demoulin lui-même, qui avait obtenu les premiers aveux du « monstre de Charleroi », et nous avait retrouvées vivantes. Des démissions d'hommes politiques, une remise en question du système judiciaire, de la gendarmerie, du gouvernement. Le ministre de la Justice de l'époque accusé d'avoir entériné la demande de libération conditionnelle du monstre en 1992. Le déferlement de la marche blanche, une enquête sur l'enquête, le doute pendant des années.

Enfin, la Belgique espérait obtenir la vérité. Espoir un peu fou devant un psychopathe.

Face à cette montagne que représentait l'affaire, je me sentais à la fois minuscule et oubliée.

J'ignore ce qu'a ressenti Laetitia. Il me semblait, et c'était en quelque sorte légitime, que, lorsqu'on parlait des parents des victimes, on ne parlait que d'elles. Je me sentais en quelque sorte déplacée dans cette histoire, pour avoir survécu.

La Cour devait siéger à Arlon. C'était une question de compétence territoriale, l'instruction ayant été regroupée à Neufchâteau qui en dépendait. La salle de la cour d'assises ne pouvait contenir que peu de personnes, en dehors des journalistes et des quatre accusés : « d le maudit », son épouse Martin, Lelièvre et Nihoul.

Madame le ministre de la Justice avait annoncé un premier coût exorbitant pour l'organisation de ce gigantesque show médiatique, quelque chose comme quatre millions et demi d'euros. La ville s'attendait à recevoir des milliers de journalistes du monde entier. Plus de mille trois cents d'entre eux avaient été accrédités, pour seize sièges disponibles dans la salle, qu'ils ne pourraient occuper qu'à tour de rôle. Mais ils disposeraient d'une pièce avec écrans vidéo et seraient donc reliés en permanence avec les débats qui devaient à l'origine durer deux mois, mais ne se sont achevés en réalité que le 22 juin ! Les parties civiles avaient droit à un hébergement gratuit dans une caserne militaire. Mon avocat a préféré un endroit isolé pour nous abriter, lui, sa collaboratrice, Maître Parisse, et moi. Une mesure qui me convenait d'autant plus que je ne souhaitais pas m'afficher outre mesure devant les photographes. Plus de trois cents policiers assureraient la sécurité.

C'était impressionnant, ce déploiement dans une si petite ville. De mon côté, j'étais plutôt contente que le public soit restreint dans la salle, alors que les gens se plaignaient d'avance de ne pas y avoir accès.

Maître Rivière envisageait mon témoignage en deux parties. La lecture de mes lettres par un enquêteur, pour m'éviter d'avoir à répondre à des questions précises sur les sévices que j'y avais décrits. Ensuite, je témoignerais directement devant la Cour sur les circonstances de mon enlèvement et de mon « séjour de vacances » dans l'antre de « d le maudit ». Restait à prendre la décision finale, choisir ou non le huis clos pour mon témoignage. J'aurais préféré le huis clos. Mais Maître Rivière m'a prévenue :

« À partir du moment où les jurés connaîtront la teneur de vos lettres, vous ne serez plus tenue de revenir sur les sales détails, la lecture aura suffi à les éclairer. Mais si vous choisissez le huis clos, on pensera que vous avez des choses à cacher. »

J'ai donc choisi de témoigner en public. Je ne devais assister qu'aux audiences qui me concernaient, Maître Jean-Philippe Rivière et Maître Céline Parisse assurant de leur côté la continuité du procès et me tenant au courant des événements. Je n'aurais la possibilité de me constituer personnellement partie civile qu'après avoir été citée comme témoin. Une fois mon témoignage enregistré par la Cour, j'aurais alors tout loisir d'assister aux audiences suivantes.

J'ai attendu cette comparution avec énervement, jusqu'au 19 avril 2004.

Entre-temps, des informations me parvenaient par téléphone. C'est ainsi que j'ai entendu pêle-mêle des choses parfois aberrantes sur mon tortionnaire personnel.

Un enquêteur a rapporté qu'il avait entrepris une expérience d'insémination artificielle sur sa femme, complètement folle. Il désespérait d'avoir une fille, il avait donc imaginé, en adaptant une lecture de magazine, une technique qui consistait à faire « porter » à sa compagne, intérieurement et pendant plusieurs jours, le contenu de son capital sexuel dans un sac en plastique. Elle ne devait le libérer qu'au bout d'un délai qu'il avait estimé à trois ou quatre jours, il me semble. Il avait cru comprendre dans cet article de vulgarisation que les spermatozoïdes à l'origine des garçons mouraient avant ceux susceptibles de donner des filles… J'ignore ce qu'en pensent les scientifiques.

Entre autres méfaits, moins scientifiques mais tout aussi calculés, il s'était employé, avec l'aide de sa femme qu'il avait épousée en prison, à dépouiller sa grand-mère âgée et malade de sa maison et de ses revenus.

Il était alors incarcéré pour viols à Mons et en permission de sortie.

Libéré pour « bonne conduite » sur avis favorable de l'administration pénitentiaire, il réclame et obtient des indemnités d'invalidité en prétextant qu'il est tombé malade en prison. Et il les obtient. Huit cents euros mensuels aux frais de l'État.

Quand on gagne le minimum salarial… ça énerve.

Un ex-détenu de la prison de Mons a dit, je crois à un journaliste : « C'était une larve ! »

Ça réconforte. Une larve, un monstre, un ogre, un pédophile, un psychopathe… on ne savait plus comment l'appeler.

Pour moi, il était avant tout crasseux, et puant, graisse à frites, huileux, lorsque j'avais usé toutes les injures. J'ai entendu dire qu'il puait toujours. Il se plaignait de ses conditions de détention ! Il se cognait la tête contre un mur pour se faire plaindre ! Il donnait des détails épouvantables aux oreilles des parents des victimes. Il continuait à jouer son rôle de star minable, tout seul, ridicule et navrant, sans respect pour les autres, et sans le moindre soupçon de culpabilité ou de remords.

Je trouvais qu'une cellule particulière avec de quoi se laver, manger, consulter « son » dossier, c'était encore bien trop de luxe pour lui. J'aurais préféré le cachot. Le noir, avec une lumière dans l'œil, du ciment pour dormir, un mètre nonante d'espace en longueur et nonante centimètres en largeur. Pas de hauteur pour se mettre debout. Du pain moisi, et un seau hygiénique.

Mais ce sont là des choses auxquelles on ne peut que rêver...

Le 15 avril 2004, un enquêteur a lu devant les jurés les lettres adressées à ma famille, et celle que j'avais réservée à maman en particulier. Mes deux conseils voulaient me préserver d'avoir à revenir moi-même, lors de mon futur témoignage, sur ces détails sordides et ces confidences douloureuses. Je ne me rendais pas vraiment compte avant cela de l'impact qu'ils pouvaient avoir. Le silence s'est fait dans la salle, certains ont pleuré. La réalité de la « chambre du calvaire », les sévices et leurs souffrances que je détaillais innocemment à ma mère, alors que j'avais douze ans, étaient insupportables à écouter, mais il était nécessaire que les jurés les entendent.

Après cette audience, Maître Rivière a déclaré à la presse :

« Nous sommes au tournant de ce procès, en abordant le dossier des "victimes vivantes" de Marc Dutroux. Il sera plus difficile de rejeter les responsabilités sur les fantômes et les fantasmes. »

J'ai pensé ce jour-là que si j'étais morte au cours de ces huit années d'enquête, avant que le procès n'arrive enfin, ces lettres auraient de toute façon parlé à ma place.

Heureusement, j'étais toujours là, victime certes, mais « témoin vivant ».

## 10

# PUZZLE

Ce procès était un gigantesque puzzle sur fond noir dans lequel je devais placer les morceaux tout aussi noirs des quatre-vingts jours de ma survie dans la cache de Marcinelle. Le fait que je sois témoin ne plaisait pas à tout le monde. On m'a rapporté que certains utilisaient cette appellation de « témoin » avec un certain mépris. « Mademoiselle Dardenne, le "témoin" comme on l'appelle maintenant », ou « dont on dit maintenant qu'elle est le "témoin vivant" de l'affaire »...

Je peux comprendre le chagrin de ceux qui n'ont pas retrouvé leurs enfants vivants. Mais j'avais beaucoup de mal à comprendre qu'on me reproche en quelque sorte d'être en vie... ou que mon avocat m'appelle « mademoiselle Dardenne », et non « la petite Sabine ».

Je n'étais pas une petite fille morte. J'avais vingt ans et j'étais vivante, je ne pouvais tout de même pas m'en excuser éternellement. Ni me taire sur ce que j'avais vécu. Je ne croyais pas au fantasme du grand réseau, comme ce lâche voulait l'imposer, et cette prise de position me pénalisait dans l'esprit de certaines parties civiles. Parfois, je me disais que, s'il avait été légal d'utiliser le sérum de vérité sur ce menteur pathologique, le désespoir de certains parents aurait pu s'apaiser. Et aussi que ce procès monstrueux aurait pu se dérouler plus calmement.

Mes parents étaient eux-mêmes partie civile, mais je n'avais pas souhaité la présence de ma famille à ce procès. J'avais besoin de paix, eux aussi.

J'étais arrivée à Arlon la veille de mon témoignage, pour rejoindre mes avocats, avec une foule de questions dans ma tête. Stressée et agitée.

Est-ce que je pourrais répondre au président : « Je ne me souviens plus », s'il pose une question de détail ? Est-ce qu'il va être compréhensif, ce président ? Et si j'ai oublié quelque chose, est-ce qu'on ne va pas dire encore que je suis dingue ?

Nous étions installés dans un hôtel à l'écart de la ville, au milieu d'un parc superbe. Maître Rivière avait préféré le calme pour lui, pour Maître Parisse comme pour moi. Maître Céline Parisse s'était arrangée pour avoir une chambre proche de la mienne au cas où je serais trop angoissée, car il fallait que je dorme et surtout que j'arrête de leur poser dix questions à la fois. Ils m'ont proposé un verre de vin blanc en guise de médicament, et moi qui ne buvais jamais, je me suis enfin détendue.

Il y avait un combi de gendarmerie devant l'hôtel. Les journalistes ne savaient pas où nous étions. Le personnel de l'hôtel était au courant, mais se montrait discret. Je pouvais être rassurée.

Ce moment, que j'attendais depuis des années, ne me faisait pas réellement peur. Je voulais affronter ce monstre les yeux dans les yeux. Je me demandais seulement, avant de m'endormir, si j'allais ressentir une émotion, et quel genre d'émotion. Je ne pensais pas fondre en larmes ni trembler de tous mes membres, il ne me faisait plus peur. Je l'avais déjà vu à la télévision dans sa cage de verre, avec son complet-veston, ses cheveux crasseux, et son air de greffier prenant des notes. À ce moment-là, il faisait encore la « star », se plaignant de ses « conditions de détention », refusant qu'on prenne en photo « monsieur Dutroux », alors qu'il n'hésitait pas à photographier des gamines nues et enchaînées, à filmer ses exploits de violeur sur des jeunes filles qu'il avait droguées quelque part en Slovaquie, ou ses ébats personnels avec sa femme.

Finalement, j'ai bien dormi.

Le lendemain, un commissaire de gendarmerie est venu me chercher en voiture banalisée, les journalistes connaissant trop les voitures de mes avocats. Maître Rivière est parti de son côté, Maître Parisse m'accompagnait — elle n'allait pas me quitter jusqu'au moment où j'entrerais dans la salle du tribunal et je la remercierai toujours pour ce qu'elle a fait. La voiture filait à grande vitesse et, comme il y avait du monde sur la route, la commissaire, une jeune femme d'une trentaine d'années, a déclenché sa sirène pour rouler au milieu des files de voitures. Le gyrophare, la sirène à deux tons, je me croyais dans un film policier, et je bavardais comme d'habitude, probablement pour juguler le stress de cette journée qui s'annonçait éprouvante.

En arrivant à la Cour d'Arlon, nous devions passer par l'arrière, à l'abri des curieux, comme les accusés, les témoins importants, les enquêteurs et les magistrats.

Je n'avais jamais mis les pieds dans un palais de justice, et j'observais tout, l'arcade de sécurité qui sonne, la fouille de mon sac — pas de couteau ni de flingue, juste des cigarettes et des briquets.

J'ai revu André Colin, l'un des enquêteurs qui m'avaient sortie de la cache. Je ne l'avais pas rencontré depuis huit ans, mais je l'ai reconnu sans difficulté, c'était un vrai plaisir de le retrouver là. Il m'a demandé discrètement :

« Ça va ?

— Ça va pour l'instant, on verra plus tard... »

Je riais, je plaisantais toujours. Je sais bien qu'il s'agit d'une façade, et que l'on ne peut pas toujours refouler ses émotions, mais c'est une forme de dignité envers moi-même et les autres.

Je me suis retrouvée ensuite dans la salle des

témoins en compagnie des deux psychiatres, d'un analyste et du juge d'instruction de Tournai. Ils devaient se dire : « On ne pensait pas qu'elle serait comme ça... »

Je plaisantais avec l'huissier, Jules, un bon grand-père qui s'inquiétait de moi :

« Tu veux une goutte d'eau ? Tu veux un biscuit ? Allez, mange un biscuit, ça va aller mieux. »

Il me faisait monter les larmes aux yeux, ce brave homme. Maître Parisse devait me quitter, elle ne pouvait pas rester avec les témoins, et l'heure de l'audience approchait.

C'est dans le couloir qui mène à la porte de la salle que soudain j'ai commencé à me sentir mal. Jules avait entrouvert la porte pour surveiller l'appel des témoins, et je voyais maintenant tout ce monde, la presse, le banc des parties civiles, le public. Je me suis assise trente secondes sur une chaise. Une bouffée de chaleur soudaine venait de m'envahir, et je me disais : « Je vais me sentir mal, tomber par terre, ça ne va plus... »

Et Jules m'a glissé à ce moment-là :

« Il faut y aller ! »

Il m'a aidée à me relever comme une petite vieille et m'a fait avancer vers la porte. Je savais que je marchais, mais ce n'était plus moi qui le décidais. Mais en pénétrant dans la salle, subitement, les forces me sont revenues. J'étais de nouveau motivée tout simplement, le box des accusés était face à moi.

Dutroux, Lelièvre, son acolyte, et les deux autres

que je n'avais jamais vus autrement qu'à la télévision, Michèle Martin et Nihoul. Ce dernier ne m'intéressait pas. Il avait l'air ailleurs, figé, comme s'il se demandait ce qu'il faisait là.

Mais les trois autres, prisonniers dans leur cage de verre, je n'allais pas me priver de les dévisager, surtout lui. J'ignorais, quelques secondes avant cet instant, ce que j'allais ressentir en le revoyant huit ans après. Et bizarrement, rien.

Il avait vieilli, il était toujours aussi moche. Il baissait les yeux, alors que je le fixais.

Si j'avais pu dire : « Pauvre type, regarde-moi quand j'arrive !... »

Mais j'étais dans une cour d'assises, et j'avais tout de même le trac devant tous ces gens qui attendaient que je parle. La salle m'impressionnait beaucoup plus que l'accusé. Alors, j'ai jeté un œil en direction de Maître Rivière, pour le rassurer, lui dire en silence : « Ne vous inquiétez pas, je ne vais pas tomber dans les pommes. »

Je n'ai pas attendu que le président fasse l'appel, je suis allée d'un pas décidé m'installer sur la chaise réservée au témoin.

« Sabine Dardenne ?

— Présente ! »

Le lendemain, dans les journaux, on disait que ma voix tremblait un peu. J'étais très intimidée, certes, par la Cour, le décor, tous ces gens qui me regardaient, mais le matin je n'ai pas de voix et beaucoup de mal à l'éclaircir, et je suis ainsi depuis l'enfance. Ce n'est qu'un petit problème de bronches... Ma voix ne tremblait pas de peur.

Maître Rivière m'avait dit :

« Adressez-vous toujours au président. C'est lui qui pose les questions, c'est à lui qu'il faut répondre. Et si vous désirez poser une question vous-même, c'est aussi à lui qu'il faut vous adresser. »

Alors, j'ai regardé le président, je me suis concentrée sur lui, pour éviter de penser à tous ces regards braqués sur moi. J'ai décliné mon identité et le président a gentiment commencé :

« Alors, vous alliez à vélo à l'école et après... ? »

J'ai raconté mon histoire, elle était devenue plus simple à dire puisque les lettres m'avaient précédée dans cette salle. Le président m'a demandé si je souhaitais revenir sur ce sujet, j'ai répondu :

« Pas particulièrement... »

Maître Rivière a pris la parole, pour me poser trois questions qu'il jugeait importantes : comment il m'avait obligée à nettoyer la maison ; si j'avais regardé la télévision avec lui ; et quel genre de programmes, en dehors d'« Intervilles » ou du « Château des Oliviers » ?

Je me souviens de ma dernière réponse.

« Canal + brouillé. Je devais m'efforcer de regarder entre les lignes, disait-il. Je n'en avais pas envie, ça ne m'intéressait pas, j'avais déjà ça en "live". »

J'attendais que le président me demande, comme il est d'usage : « Avez-vous quelque chose à ajouter ?... »

Maître Rivière savait bien que j'avais une question en tête. Ma question personnelle à l'accusé. Comme le président ne semblait pas y penser, il est intervenu lui-même.

J'ai regardé l'accusé Dutroux en face, en formulant ma question à l'intention du président pour respecter la règle, mais je ne le quittais pas des yeux, lui, c'était à lui seul qu'elle s'adressait :

« Je voudrais demander une chose à Marc Dutroux, même si j'ai un peu la réponse en tête. Il se plaignait que j'avais un caractère de cochon, je voudrais savoir pourquoi il ne m'a pas liquidée ? »

Il s'est levé pour répondre derrière sa vitre, mais, la tête baissée, il ne me regardait toujours pas.

« Mais il n'a jamais été question pour moi de la liquider. On lui a mis ça dans la tête après sa sortie de la cache. »

Toujours en m'adressant au président, j'ai conclu :

« Avec ces personnes-là, il ne faut pas s'attendre à d'autres réponses. »

J'avais fini de témoigner, le président m'autorisait à sortir de la salle, mais à ce moment précis, alors que je quittais déjà ma chaise, j'avais le pressentiment que l'un des accusés allait se lever pour dire quelque chose. J'aurais parié que c'était elle, la femme, la mère de famille complice, et c'était bien elle qui voulait s'excuser platement.

« Mademoiselle Dardenne, je voudrais vous demander pardon... »

Mon sang n'a fait qu'un tour.

« Vous qui saviez où j'étais, avec qui j'étais, et ce que je subissais ? Ça me fait mal au cœur de la part d'une mère de famille, votre pardon, je ne l'accepte pas !

— Je regrette de ne pas avoir dénoncé Dutroux depuis qu'il a enlevé Julie et Melissa. Je ne vous demande pas de me pardonner parce que c'est impardonnable. Je ne peux pas comprendre ce que vous avez subi parce que je ne peux pas imaginer mes propres enfants enfermés dans une cage. Je reconnais mes torts.

— Désolée. Je ne pardonne pas ! »

Je pense qu'en nous demandant pardon, car elle a fait la même chose ensuite avec Laetitia, elle cherchait à se protéger de tout ce qui pesait encore sur elle.

Elle savait tout depuis toujours, elle était sa complice depuis le début dans les années 1980. Il se confiait à elle, et elle supportait un psychopathe comme père de ses enfants. Maintenant qu'elle était en prison et ne les voyait plus, elle se rendait compte, j'espère, de sa propre monstruosité. Elle avait laissé violer et mourir les enfants des autres, et elle réclamait les siens ! Elle avait encore un droit de visite pour les plus petits, ses avocats s'étaient battus pour ça ! Et je les plaignais, ces enfants-là. Ils ont dû changer de nom, parce qu'on les insultait, ils sont ballottés chez des familles d'accueil, avec ce poids terrible d'avoir un père et une mère criminels. Comment osait-elle réclamer un pardon ?

Je suis partie, soulagée. C'était fini pour moi, je ne serais plus sur la sellette. J'avais eu enfin le dessus, il n'avait même pas osé me regarder en face. Il avait répondu n'importe quoi, mais je ne m'attendais pas à de vraies réponses de sa part. Ses avocats l'ont qualifié un jour de « psychopathe immatériel ». Étrange, car pour moi il était affreusement matériel justement. Le ministère public a conclu mon témoignage en disant :

« Aucun commentaire, aucun réquisitoire ne pourrait remplacer un tel témoignage, nous l'entendons avec humilité et respect. »

Le lendemain, il avait dit aussi, au cours d'une audience à laquelle je n'assistais pas, que j'aurais été destinée au réseau de Nihoul. J'ai demandé au président si l'accusé pouvait s'expliquer sur ce sujet, car ce serait « gentil » et que je n'avais pas dû « tout comprendre de ce qu'avait voulu dire l'accusé ».

J'espère qu'il n'a pas pris l'ironie du mot « gentil » au sens primitif du terme. Il a répondu, toujours en regardant ses notes — sa façon de ne pas affronter les autres :

« Au début, je devais la donner au réseau de Nihoul, mais je m'y suis attaché... »

Le président l'a coupé.

« Je pensais que c'était pour combler le manque de Julie et Melissa ? »

À partir de là, il s'est embourbé dans un monologue

compliqué, de sa voix niaise et monotone de «faux derche» qui veut paraître innocent devant la Cour, qui a violé, mais n'a tué personne.

«Bref, je dois lui dire merci ? Il m'a sauvé la vie !

— Non, je ne dis pas ça non plus, j'ai mes torts.»

Pourquoi ne m'avait-il pas liquidée ? La vermine se disait attachée à moi ? Il voulait manipuler les jurés et leur faire croire une ignominie pareille ? Ou bien me le faire croire à moi, sa victime ?

Puis, c'était au tour de Laetitia. Elle a dit au président qu'elle ne pouvait pas prêter serment de parler «sans haine et sans crainte». Et elle a commencé à raconter son histoire, comme moi.

«J'étais à la piscine, une camionnette s'est arrêtée... Le gars a fait semblant de ne pas comprendre, et pendant ce temps-là l'autre m'arrachait du sol et j'étais embarquée...»

Le président lui a demandé, au moment où elle parlait de la cache :

«Comment faisiez-vous à deux dans cette cache ?

— C'était le mur, Sabine, moi et le mur.

— Oui, et à l'époque vous étiez jeunes et minces.

— Pourquoi, je suis grosse maintenant ?»

J'ai étouffé un rire. En revanche, j'étais en colère lorsqu'un juré lui a posé une question stupide, et à mon avis déplacée.

«Vous étiez à la piscine, vous n'avez pas nagé, parce que vous étiez réglée... mais pourtant vous dites qu'il vous a violée ?»

Laetitia était gênée, toute perdue sur sa chaise. J'étais prête à prendre le micro et à l'envoyer sur les roses, ce malotru ! Est-ce qu'on pose une question pareille quand on a la charge de juger un psychopathe, pédophile et obsédé sexuel ? Comme si ce genre de « détail » pouvait gêner ce monstre !

J'avais rencontré Laetitia une semaine après le début du procès et elle n'était pas sûre de vouloir témoigner à ce moment-là. Je lui avais dit :

« Ce sera dur, mais dis-toi aussi que c'est bien fait pour sa gueule, il faut que tu viennes dire ce qu'il t'est arrivé. »

Et elle était là, courageuse, elle l'attaquait même. Elle voulait savoir jusqu'à quel point il l'avait droguée les premiers jours, quelle part de lucidité elle avait conservée ou non. Ses souvenirs étaient flous, c'était pour elle assez insupportable.

« Pourquoi il m'a fait boire ce café jusqu'au bout ? »

Autrement dit, le café était-il encore drogué ou pas ? Il a répondu tranquillement qu'il avait l'habitude, lui, de finir son café jusqu'au bout. C'était normal, il n'aimait pas le gaspillage ! Pour une fois, il ne mentait pas, je pense ; c'était bien dans son style, boire le jus des boîtes, vider l'eau de la baignoire dans les toilettes, laisser moisir le pain, ne pas se brosser les dents, finir son café...

Et les questions s'enchaînaient, cruelles.

« Il vous disait : "Tout le mal que je peux te faire, c'est te faire l'amour" ?

— Oui.

— Il vous a donné des pilules contraceptives périmées ?

— Oui.

— Vous n'avez pas été suivie par un psychologue ?

— Non.

— Apparemment, vous pouvez vous en passer. »

J'ignorais qu'elle s'était elle aussi « débrouillée » toute seule après cet enfer.

En regardant témoigner Laetitia, et surtout en l'entendant répondre, parfois, sur des détails, « je ne sais pas », ou « je ne sais plus », alors qu'elle essayait comme moi de tenir le coup vaillamment devant l'autre monstre, des images pitoyables me revenaient d'elle, attachée. Je l'entendais encore me répondre d'une voix ensommeillée, quand j'avais voulu la prévenir :

« C'est déjà fait... »

C'était de ma faute si elle était là face à tous ces gens et contrainte de répondre ou de justifier de ce qu'elle avait vécu. J'avais beau me dire que, si ça n'était pas tombé sur elle, il en aurait pris une autre, j'avais mal au cœur. J'essayais de me défaire de cette culpabilité, mais je n'y arrivais pas. Déjà, à douze ans, au moment de la marche blanche je crois, je m'étais excusée comme je le pouvais.

« Tu sais, j'étais toute seule, je devenais dingue avec le temps, je n'avais plus rien à faire, je te l'ai dit quand tu es arrivée, ça faisait soixante-dix-sept jours que j'étais là avec ce connard, à le subir tous les jours ou presque. Je suis une gosse, je ne pouvais pas imaginer que ce type était un "enleveur" d'enfants et que ce serait la même chose avec toi. »

Mais ce jour-là, avec le recul, lorsque le président a demandé à l'accusé : « Vous avez enlevé Laetitia ?

— C'est Sabine qui m'a scié les côtés, en réclamant une copine ! » a-t-il répondu.

J'aurais voulu rentrer sous terre. On allait me renvoyer ça en pleine figure toute ma vie ? Laetitia m'a regardée, et nous avons échangé un petit signe de connivence désolée.

Nous en avions reparlé toutes les deux avant qu'elle témoigne. Je ne voulais pas la choquer, ni remuer le couteau dans la plaie, mais qu'elle comprenne que j'avais été sauvée grâce à elle.

« N'oublie pas une chose. Moi, je n'ai pas eu le bonheur qu'il y ait des témoins quand il m'a chopée. Alors, si tu n'avais pas été là... C'est tombé sur toi, c'est malheureux, mais grâce à ton enlèvement on m'a retrouvée, je suis en vie, et toi tu es en vie. Je te l'ai gâchée un peu, ta vie, en demandant une copine, je m'en veux de tout ça, mais c'est grâce à toi et aux témoins de ton enlèvement que je suis là. »

Je ne me débarrasserai jamais de ce poids, même si j'espère toujours que de son côté elle ne m'en veut pas. À la sortie de l'audience, je lui ai dit en plaisantant :

« Écoute, il y a encore de la place dans le box, si tu veux, j'y vais aussi !

— Ben non. C'est vrai que c'est toi qui as demandé une copine, mais si ce n'était pas moi, c'était une autre. C'est tombé sur moi, mais les pires moments, c'est lui qui me les a fait vivre, pas toi ! »

Plus tard, au moment d'une interview, le journaliste m'a dit :

« On vous voit fort complice avec Laetitia ?

— Oui, on est proches sur certaines choses que nous avons en commun. Seulement, on n'est pas des copines de camp de vacances, ni des copines de classe, ou des copines de quartier. Laetitia, c'est une copine d'infortune. »

Elle a vu comme moi, après son témoignage difficile, la femme de Dutroux tenter de demander pardon, mais elle lui a coupé la parole aussi vite.

« Je ne veux pas écouter vos regrets, le mal est fait, il est trop tard ! »

Et Dutroux :

« Je veux présenter mes excuses les plus plates... je me rends compte du mal que j'ai causé... »

C'était fatigant. Il valait mieux qu'ils se taisent. De toute façon, ce type était imperméable à tout sentiment de culpabilité, il se fichait royalement du mal qu'il avait fait, des enfants qu'il avait kidnappés, laissés mourir, ou enterrés vivants. Il voulait seulement « faire ses airs » devant la Cour. Avec moi, ça ne prenait pas.

Je ne m'attendais pas à autre chose, il était fidèle à lui-même, tel que dans mon souvenir : vaniteux, manipulateur, tortueux, incapable de vérité. En sortant de l'audience, à la fin du témoignage de Laetitia, j'ai dit devant les caméras — et encore, je me contenais :

« Ses excuses, il peut crever avec ! »

La presse a écrit que je l'avais vaincu, que j'avais du cran et du caractère. Tant mieux, mais j'attendais le réquisitoire et le verdict pour être libérée de ce retour en arrière, d'autant qu'une autre épreuve nous attendait.

La Cour avait décidé d'emmener les jurés, les avocats, les témoins et les accusés, comme en promenade d'information, visiter la cache.

J'ai eu du mal sur place, alors que je pensais avoir la capacité de le supporter.

Sur place, à Marcinelle, je riais avec Laetitia. Elle me confiait :

« S'il y a une araignée, moi, je vais hurler. Il ne faudra pas s'inquiéter... »

Et je lui rappelais ce qu'il nous disait chaque fois qu'on descendait dans la cache,

« Il faut pas toucher les murs ! N'oublie pas ! Sinon tu vas te faire engueuler ! »

J'ignore pourquoi il demandait cela, justement à propos de ce mur, alors que je mettais mes mains sur tous les autres, forcément.

« Oui, oui, j'ai pas oublié ! Tu crois que le poster avec le dinosaure est encore là ? »

Je sais que Laetitia a moins de recul sur le passé et que mon humour noir la choque par moments, elle n'arrive pas à s'en sortir de cette façon-là. Mais on riait quand même pendant l'attente pour entrer dans la cache. Une fois devant cette maison sinistre, derrière les bâches qui nous protégeaient des curieux, c'était différent. Il a fallu attendre que tout le monde ou presque passe avant nous. Les jurés, les juges, les assesseurs, les autres parties civiles. Et au fur et à mesure que je voyais les gens remonter, le visage défait, je commençais à réaliser. Et Laetitia aussi.

« T'as vu leurs têtes ? »

Laetitia est descendue avant moi. Et lorsqu'elle est revenue, elle m'a fait peur. Si elle était dans cet état, en n'étant restée là-dedans que six jours, pour moi ça n'allait pas aller du tout. Je suis devenue blanche comme une morte. L'angoisse montait comme une vague.

Je suis entrée avec mes deux avocats dans la première pièce, là, je tenais encore le coup.

« C'est toujours le fouillis dans cette baraque. »

Je me demandais par où j'allais commencer. La chambre, ou la cave ?

J'ai choisi la cave en premier. J'ai descendu l'escalier, sans toucher le mur, mais cette fois parce qu'on avait installé une petite corde, pour les gens âgés.

Les escaliers sont assez étroits. Il y a douze marches, avant je les comptais en descendant.

Je suis entrée seule dans ce trou à rat. Il était impossible d'y tenir à trois, évidemment.

En une seconde, j'étais de retour en arrière, et comme dans un film tout défilait dans mon cerveau, image par image. Je me suis revue faire mes cours, écrire mes lettres. M'affoler pendant la panne de courant, me battre avec la lumière et le ventilateur qui ne marchaient plus. Et puis, il y avait cette marque laissée par Julie et entourée par les enquêteurs, qui me culpabilisait de n'avoir rien vu. Si j'avais vu, est-ce que j'aurais compris ? Est-ce que je lui aurais posé des questions ? Je n'en sais rien, mais le 15 août j'aurais pu au moins le signaler aux enquêteurs.

C'était si minuscule, cet endroit, et je le voyais encore plus petit, plus étouffant et plus horrible.

Nous sommes remontés voir la chambre aux lits superposés. Ils avaient rouillé, l'échelle était sciée, le poster du dinosaure n'était plus là. Cette pièce aussi, je la voyais maintenant plus petite. Dans l'autre chambre, tout était resté : le lit, les penderies, la table au bout du lit où il y avait ce grand puzzle qui m'énervait tellement. Il était déjà commencé quand je suis arrivée. Quand j'avais le droit à un peu de paix, qu'il regardait ses programmes nuls à la télévision, je contemplais le plafond ou ce puzzle. J'avais essayé deux ou trois fois de le finir. Il ne restait que quelques pièces à compléter. Mais c'était un paysage ton sur ton avec beaucoup de vert et de bleu-gris, difficile à faire. Je n'avais jamais pensé à demander qui l'avait commencé. Si ça se trouve, toutes les quatre l'avaient contemplé avant moi.

Et je n'avais jamais réussi à le finir. À un moment, je m'étais énervée dessus, je l'avais un peu bousculé... Et puis il m'énervait, ce puzzle, c'était une horreur. Cette maison était une horreur, il fallait que je sorte de là, et pourtant je n'y parvenais pas.

Laetitia est redescendue me chercher, je suis ressortie avec elle. Quelqu'un m'a dit que j'avais l'air d'avoir douze ans à ce moment-là. Et j'étais triste, pâle et en colère, car « l'autre » aussi allait faire le tour de sa maison de Marcinelle, menotté et avec un gilet pare-balles.

Je ne sais pas si j'étais en colère après moi d'avoir craqué, ou après lui qui avait encore le droit d'être là, et de critiquer en plus ! Il s'est permis de dire après :

« Dans quel état on a mis ma maison... »

Je n'en pouvais plus. J'ai confié à Laetitia :

« Moi, je veux rester là. Qu'il ait le courage de passer à nos pieds et de nous regarder pour une fois. Ici, il n'y a pas de cage de verre... »

Je me suis mise exprès sur son passage, je l'ai fixé, il a regardé par terre, et je l'ai traité de crapule. Juste ce mot-là, rien de plus. Le seul qui m'est venu à l'esprit.

On m'a écartée. Laetitia m'a dit :

« Respire, respire, va prendre l'air... »

Il y avait tous les fourgons de gendarmerie, les bâches, les barrières, alors je me suis mise à l'écart.

Quand j'ai vu qu'il ressortait de cette maison, j'aurais bien voulu l'affronter de nouveau et, à la limite, me planter devant la portière de la voiture où il allait monter. J'en avais marre qu'il baisse les yeux. Mais je risquais de me faire rappeler à l'ordre par le président, de me faire encore remarquer. Alors, je suis restée où j'étais. Il est passé à un mètre de moi, et ça ne m'a rien fait. J'étais forte, même en pleurs, c'était moi qui le dominais dans ma tête. Je n'avais pas peur de lui, c'étaient la maison, la cache, la chambre qui m'avaient mise dans cet état.

Seulement, il y avait la presse près de nous, et le lendemain il n'y avait que ce mot-là dans les journaux : « Crapule ».

Ça m'avait soulagée. Si j'avais pu continuer, si on m'avait seulement laissée m'énerver après lui comme j'en avais tellement envie depuis le 15 août 1996...

« T'as vu ce que tu as fait ? T'as vu où tu en es ? T'es content maintenant ? »

Comme à douze ans. J'avais toujours la rage de mes douze ans. J'aurais peut-être eu l'idée folle de demander l'autorisation de visiter la maison avec lui. Pour qu'il enregistre bien dans sa tête de psychopathe que c'était fini.

« Tu vois ? J'ai pas peur, je fais même la visite avec toi ! »

Finalement non. Je crois que le petit soldat aurait présumé de ses forces.

Dans sa plaidoirie, Maître Rivière avait su dire avec

émotion comment j'avais réussi à reconstruire mon existence de petite fille, puis d'adolescente, pour arriver enfin jusqu'à ce tribunal, et à le regarder en face.

« Mademoiselle Dardenne ne veut pas que vous imaginiez, elle veut que vous sachiez qu'à seize ans elle était amoureuse, qu'elle a dû se justifier de certains refus. C'était une humiliation d'expliquer à l'autre ce refus qui n'était certainement pas le dégoût de celui qu'on aime. Mais il y avait entre eux, Dutroux, votre haleine fétide, votre respiration de bœuf et vos sales pattes. Et pourtant, ils font l'amour ! Ils font l'amour, Dutroux ! Une expérience que vous n'avez jamais vécue. Et ça, c'est la revanche de Sabine. »

Il a eu le culot de marmonner à la fin de la plaidoirie qu'il « n'était pas jaloux » et qu'il me souhaitait une belle vie. Qui pouvait comprendre un psychopathe de cet acabit ?

Un tribunal, un procureur et des jurés.

Le réquisitoire était clair, il n'était plus question de réseau fantomatique, mais d'association de malfaiteurs. D'enlèvements, de viols, de séquestrations, d'assassinats et de meurtres.

Les jurés devaient répondre à deux cent quarante-trois questions, par oui ou par non.

Et les peines sont tombées sans circonstances atténuantes. Perpétuité, assortie d'une mise à disposition du gouvernement pendant dix ans pour Dutroux.

Il lui faudra boire sa peine jusqu'à la lie, comme son café.

Sa femme, Michèle Martin : trente ans. Lelièvre : vingt-cinq ans. Et cinq ans pour Nihoul, le dernier accusé, trafiquant, indic, voleur, mais qui n'avait donc aux yeux des jurés rien à voir avec le « réseau » dont Dutroux voulait absolument le coiffer.

La théorie des premiers enquêteurs, Michel Demoulin et Lucien Masson, et du juge d'instruction Langlois était enfin acquise. Le « monsieur qui me gardait » était bien un pervers isolé.

C'était fini. Les accusés pouvaient toujours se pourvoir en cassation, l'un ou l'autre, s'ils estimaient avoir été lésés dans le déroulement du procès.

Le pervers isolé l'a fait, il fallait s'y attendre. Je n'ai donc pas enterré la hache de guerre de mon côté. Je ne peux pas entrer dans le cerveau d'un psychopathe, même isolé, mais j'aurais bien aimé comprendre à quoi ça ressemble, comment ça marche, et pourquoi.

Ça me rendrait peut-être plus intelligente.

J'ai retrouvé la vie privée et mon compagnon que j'avais dû délaisser durant cette période de folie. Et aussi mon travail, et ce train de banlieue qui m'énerve, et les regards « bizarres ». J'ai même eu une demande d'autographe insolite une fois, qui m'a vraiment rendue agressive.

J'avais le sentiment très souvent, dans cette foule de gens et de journalistes qui attendaient à l'extérieur du palais de justice, de devoir me frayer un chemin dans un monde de voyeurs.

Et puis je me suis enfermée volontairement cette fois, pour rassembler les morceaux de ce gigantesque et sombre puzzle, au milieu duquel j'avais survécu. Je voulais le classer dans ma mémoire à ma façon, d'une manière que j'espère définitive. Juste un livre sur une étagère.

Et pouvoir l'oublier très vite.

*Sabine Dardenne*
*Été 2004*

*Remerciements*

Je tiens à remercier tout spécialement :

Marie-Thérèse Cuny et Philippe Robinet ainsi que toutes les personnes qui m'ont permis de faire ce livre.
Maître Rivière et Maître Parisse en qui j'ai grande confiance. Ils m'ont soutenue, conseillée, protégée... et continuent encore maintenant.
Ma Bonne Maman qui n'est plus là et qui me manque beaucoup.
Ma maman, malgré les différends. On n'en a qu'une !
Mon père.
Mon compagnon, que j'ai mis à l'écart volontairement pendant le procès mais qui m'a soutenue et me soutient encore, ainsi que sa famille.
Jacques Langlois, juge d'instruction.
Michel Demoulin, qui est une personne à qui je tiens beaucoup, ainsi que tous les enquêteurs de la cellule de Neufchâteau.

Je remercie :

Ma grande sœur d'être là pour moi,

Ma copine Davina qui est toujours à mon écoute,

Laëtitia qui, malgré les différends d'autrefois, m'a soutenue pendant le procès et avec qui je garde contact,

Le château du Pont d'Oye où nous avons logé pendant 4 mois,

Les commissaires Shull et Simon qui ont tout mis en œuvre pour que l'organisation soit parfaite pour moi pendant le procès, et tout le reste du dispositif,

Jean-Marc et Anne Lefebvre qui nous ont accueillis à bras ouverts chez eux,

Thierry Schamp qui est resté une journée entière dans sa voiture au cas où j'aurais un problème pendant la visite de la cache le 27 avril 2004,

Le restaurant *Tante Laure* dont l'équipe s'est toujours bien occupé de nous,

Ceux des journalistes qui m'ont soutenue et qui ont toujours été corrects avec moi,

Les gens de mon travail qui m'ont permis d'aller au procès sans m'inquiéter.

Je tiens à remercier à des degrés divers, chacun à son niveau et par ordre alphabétique :

André Collin,
Jean-Marc Conerotte,
Robert et Andrée Flavegèce,
Jean Lambrecks,
Jean-Denis Lejeune,
Lucien Masson,
Philippe Morandini,
Bernard Richard,
Le juge d'instruction Tollebeeck et tous les enquêteurs tournaisiens,
Yves et Josianne Vandevyver.

# TABLE

Transcontinental
IMPRESSION
IMPRIMERIE GAGNÉ
IMPRIMÉ AU CANADA